VIENS LA MORT,
ON VA DANSER

DU MÊME AUTEUR

Chez le même éditeur

L'Homme qui marchait dans sa tête

PATRICK SEGAL

VIENS LA MORT,
ON VA DANSER

Photos de Patrick Segal

FLAMMARION/LTÉE

Éditeurs :

LES EDITIONS FLAMMARION Ltée
350 boulevard Lebeau
SAINT-LAURENT H4N IW6

Distributeur exclusif pour le Canada :

SOCADIS Inc.
350 boulevard Lebeau
SAINT-LAURENT H4N IW6

Dépôt légal :

BIBLIOTHÈQUE NATIONALE DE QUÉBEC
2e trimestre 1979

Printed in France

A ma mère,
à mon père

PREMIÈRE PARTIE

I

La promesse

J'ai débarqué à Paris un jour de janvier 1976, venant directement du soleil, et Paris m'a pris à la gorge. J'ai cherché un rouge écarlate à l'horizon, et je n'ai trouvé aucun horizon. J'ai cherché Pékin, ma ville pourpre, les huttes de bambou du delta du Mékong et vous mes enfants oubliés des hommes.

Où sont mes souvenirs après quatre années d'errance ?

Pendant mon absence, l'appartement du pont Mirabeau, où j'habitais alors, a été loué. Je ne reverrai plus les projecteurs des bateaux-mouches, au travers du feuillage des arbres du quai, tacheter de marguerites ses murs blanc pâle. J'ai installé mon campement dans un appartement de la rue Catulle-Mendès, un nom qui sent la dictée, la récitation et les billes dans une poche de tablier. Et puis dans le square, un peu en contrebas, j'ai découvert la statue de Simon Bolivar. Surpris de le trouver là, je me suis arrêté un instant et lui ai dit : « Je viens de ton pays, Simon, qui m'a tanné le cuir et durci la peau, mais qui sait cacher tant de merveilles ! »

J'ai trouvé que Simon Bolivar avait mauvaise mine, la tête blanchie de crottes de pigeon.

En passant devant la loge, la concierge a crié : « Essuyez vos pieds ! » Je me suis glissé dans l'ascenseur, si étroit que j'ai dû mettre mes jambes en l'air et les poser de chaque côté de la porte. Quelle idée aurait eue de moi mon voisin s'il avait ouvert cette porte ?

Je me suis débarrassé de l'ascenseur qui voulait hâtivement redescendre en me gardant avec lui, puis je suis entré dans ma chambre...

J'ai fait le tour de ses meubles en acajou gardés par des portraits d'ancêtres. Une odeur un peu sucrée, laissée là par l'ancienne locataire, une vieille dame morte récemment, parfumait la chambre. Dans les tiroirs, voisinaient avec les cuillères, les fourchettes, les couteaux, des lettres venant du Chemin des Dames. Je me suis étendu sur le lit, face à l'horloge arrêtée ; mon corps s'est enfoncé dans l'édredon de plumes. Hier, c'était Rio et ses plages. C'était la Chine, cette chambre en Chine, ma longue solitude et cette interminable traversée qui m'a ramené à la vie.

Oui, c'était hier...

*
**

Mathieu, assis à côté de moi, avait posé sa tête contre

la vitre. Il grillait sa première cigarette du matin. Autour de nous les voitures s'effaçaient, l'autoroute se couvrait de brumes. Il restait silencieux, son visage semblait se décomposer entre ses doigts. Dans le siège arrière de la voiture ma valise s'enfonçait lourdement. Dans quelques minutes nous serions à l'aéroport d'où je m'envolerais vers la Chine.

Oui, je m'en allais vers ce milliard de Chinois et leur drôle de médecine. Nul n'osait prononcer le mot de guérison, après tout le temps que j'avais passé dans les hôpitaux auprès des faux dieux de la médecine. Ils m'avaient sauvé de la mort, permis de respirer, de prendre ma vie en main et parfois d'en rire, ils m'avaient fait croire en leurs machines, en leur chimie, très peu en leur amour, et sur le sable d'aujourd'hui mes pas restaient en suspens comme un oiseau perdu au-dessus de l'océan.

Je revenais dans ce pays de Chine pour forcer le destin, peut-être aussi pour en finir avec cette vieille angoisse du « ai-je bien tout essayé ? ». Peut-être alors, quand tout aurait été tenté, pourrais-je prendre mon envol dégagé de ce corps marionnette.

Soudain Mathieu me raconta une histoire qui lui était arrivée la nuit dernière, alors qu'il se trouvait de garde à l'hôpital. On lui avait amené un type qui avait tenté de se suicider. Il était impliqué dans une affaire de « came ». On voulait lui en coller pour quinze ans. Quand Mathieu s'était approché de son lit, le type lui avait pris la main et lui avait dit :

— Écoute, petit, j'ai quarante-huit ans. Mes gosses y me reverront plus. Tu m'entends ? Quinze ans c'est trop.

11

(Des larmes roulaient sur ses joues.) Je te promets, petit, que j'me tuerai s'ils m'envoient là-bas.

Je regardais Mathieu, j'écoutais son histoire : n'allais-je pas moi aussi en prendre pour quinze ans ? Je regardais ses mains, ses doigts longs, trop fins pour ce corps massif, des mains d'acteur pour un théâtre nô, dans un décor de salle commune, où il avait choisi de vivre au contact des mangeurs d'oubli, des camés. La mort réveillait ma mémoire et me rappelait ce matin du 6 avril 1972, quand en une fraction de seconde la balle de plomb avait fracassé mon corps pour le plonger dans sa longue nuit. Vingt-quatre ans réduits en fumée. Mais pourquoi ? Pourquoi mon horizon avait-il basculé sous le souffle du revolver ? Pourquoi cette arme était-elle tenue par la main d'une jeune fille ? Pourquoi la mort au début de ma vie ? Pourquoi ? Cet écho s'en était allé, avait traversé les hôpitaux et continué à déchirer mon corps. L'écho s'était perdu dans ses couloirs froids... Tous ces mois d'hôpital qui vous recouvrent comme autant de masques. Tous ces mots d'hôpital aussi, que l'on se prononce tandis que le silence envahit le corps : « Pour être libre il faut guérir ! »

Aujourd'hui, j'avais bourré ma valise et je m'en allais sans me retourner.

Je pénétrai dans l'aéroport, tenant serré mon billet dans la main, comme pour ne pas me perdre ; puis j'allai faire enregistrer mes bagages. Mathieu marchait silencieusement à côté de moi. Il portait ma valise si lourde, un peu comme un père qui accompagne son enfant à la colonie. Je regardais ses longs cheveux frisés, ses yeux bleus, sa barbe de prophète. Un instant je pensai à ce mélange éton-

12

nant que formait ce personnage passionné de médecine et pourtant angoissé devant « l'Autre », le soi-disant malade, celui qui ne saura jamais.

Au petit matin, après les longues nuits de garde, il enfourche sa moto, sa femme-météore, et s'enfonce dans les brouillards de la ville. Alors, l'homme arlequin, tendre et fragile sous sa carapace de muscles, arrête de jouer, écœuré par son maquillage de clown blanc, de savant, de médecin détenteur de vérité. Sur l'autoroute frileuse il s'envole, la poignée des gaz poussée à fond, pour oublier sa fonction d'interne et retrouver l'essentiel : sa vocation de médecin, la voix du dedans qui hésite entre « guérir, vivre et mourir ».

Mathieu posa ma valise sur la balance, se retourna et me dit :

— Il vaut mieux que je parte.

Tout mon courage, soudain, se déroba. Je voulus dire un mot qui résumât notre amitié, notre promesse. Je lui tendis la main. C'était comme si une porte se fermait silencieusement entre nous, tirée par un fil invisible.

— Qu'est-ce que vous avez là-dedans ?

Je sursautai, regardai le personnage qui m'adressait la parole.

— Cest pas possible ! vous partez pour dix ans ? ajouta-t-il, désignant l'aiguille de la balance.

Elle indiquait 52 kilos.

— Monsieur, il y a un homme en morceaux dans cette valise.

Il m'observa d'abord avec ahurissement, puis éclata de rire.

— Et il n'en manque pas un, d'morceau, par hasard ?

Si, justement. Voilà pourquoi je m'en allais en Chine. Pour reconstituer l'homme éclaté. S'il le fallait, je le ferais naître. C'était la promesse qui nous liait, Mathieu et moi.

Patrick Segal
et les médecins chinois.

Patrick Segal
dans un jardin d'enfants
à Pékin, 1978.

L'équipe féminine de basket des Etats-Unis.
Jeux paraolympiques de Toronto.

Sir Ludwig Guttmann, président du comité paraolympique.

Le concurrent australien des premiers Jeux paraolympiques d'hiver
en Suède, 1976.

II

Le blues de Pékin

Ainsi m'étais-je retrouvé à Pékin, pendant une année, seul dans ma chambre, dans une solitude profonde. De cette chambre je sortais une fois par jour, pour ma séance d'acupuncture. Mon seul compagnon était un oiseau que l'on m'avait offert et qui, de sa maison de bambou, m'observait de son œil rond et mobile.

Cet oiseau-là venait de Shangai où il faisait bon vivre sur les bords du Bund. De commune en commune, il était arrivé à Pékin dans une cage installée sur le porte-bagages d'une bicyclette. La famille de l'oiseau avait échappé aux purges de la révolution culturelle qui avaient rendu infirme la nature. Plus un chant, plus un nid, rien que le bruit sec de la carabine à plombs dans le duvet tendre et léger. Cet oiseau-là ne devait pas être ordinaire avec un tel passé.

En effet, à ses premières paroles il me surprit.

— Si je comprends bien, tu vis seul ? me demanda-t-il le soir de Noël. Pour nous, Chinois, cela paraît étrange de vivre seul, enfin je veux dire en dehors d'une communauté. Tu n'as donc pas de travail, de famille, de parti ? Et tes amis, où sont-ils ?

— Mes amis sont restés là-bas ; ils m'attendent... Mais à quelle heure chantes-tu le matin ?

— Je chanterai quand tu commenceras à sourire.

— Je ne comprends pas très bien ce que cela veut dire.

— Tu verras, laisse-moi le temps de t'observer, tu es si drôle dans ton carrosse. Au fond, toi et moi on est dans la même cage.

— Oui, mais toi, l'oiseau, tu peux en sortir ! Même que je te laisserai la porte ouverte.

— Ce n'est pas la porte ouverte qui fait la liberté mais plutôt de savoir pourquoi l'on sort. Sur ce point, l'ami, tu es plus en avance que moi ; enfin j'ai une excuse, mes grands-parents étaient des oiseaux moyens-pauvres. Oui, nous habitions la campagne et ne chantions que rarement, il y avait si peu de grain dans les champs. Là-bas, dans ton pays, ils chantent les oiseaux ?

— Oui, bien sûr.

— Comment t'appelles-tu ?

— Patrick... et toi ?

— Moi, c'est Hong-Xue.

— Rouge-Neige ? En voilà un drôle de nom, tu es tout jaune.

— Ah, si tu commences à juger sur les apparences, nous n'allons pas nous entendre.

16

— Rouge-Neige et les sept nains...

— C'est quoi cette histoire ? Est-ce que cela ressemble à nos opéras à la gloire du grand timonier ?

— Tu ne serais pas au parti par hasard ?

— Écoute, l'ami, tu ne sais pas de quoi tu parles. Apprends d'abord à te connaître, toi et tes contradictions. Ton président, là-bas, chez toi, est-ce qu'il vous a fait faire un bond en avant ?

— Non, Rouge-Neige, tu ne m'auras pas. Aujourd'hui c'est Noël, je n'ai pas envie de parler politique.

Il s'était recroquevillé, le bec sous l'aile comme un vieux sage, l'œil à demi clos.

Nous allions vivre ensemble pendant presque une année.

*
**

Cette année chinoise, ce tournant dans ma nouvelle vie, fut un combat contre le temps, contre mes impulsions de cheval fougueux. J'appris la patience, l'art de meubler l'espace réduit de ma chambre, et les longues heures ponctuées par les repas et les cérémonies du thé.

Avant d'atteindre la ville impériale, je séjournai deux mois à Canton en attendant le visa pour Pékin, véritable sésame médical : Pékin et ses spécialistes détenaient mon dossier médical et le pouvoir de me faire rester ici ou de me renvoyer à l'Occident.

L'interprète, Mme Li, qui avait mon âge, m'avait conseillé d'attendre près de mon téléphone la réponse de

Pékin. Le temps passa. Puis Mme Li me quitta. Le jour de son départ, elle vint me saluer et, sans un mot, les yeux un peu rouges, elle prit le train du Nord, me laissant à mes rêveries de vagabond solitaire.

Le médecin chinois venait chaque jour pour la séance d'acupuncture, ce qui intéressait fortement les garçons d'étage qui commentaient le traitement. Le docteur posait ses aiguilles sur la face postérieure de mes jambes, puis, entre pouce et index, leur donnait un mouvement rotatoire continu. Il prenait ses repères anatomiques avec la mesure de ses doigts sans aucune hésitation. A la base du cou la douleur était vive, puis tout disparaissait au fur et à mesure qu'il tournait les aiguilles. Je sursautais à chaque nouvelle piqûre. Conscient de la douleur infligée dans certaines zones, notamment dans la cicatrice qui me barrait le dos, le docteur me disait :

— Cela vous fait mal, n'est-ce pas ? Mais la douleur est signe d'efficacité.

Il riait en me regardant boire d'infectes décoctions qui me soulevaient le cœur.

Bien vite les piles de mon petit magnétophone rendirent l'âme et je ne pus me réapprovisionner. L'adieu à la musique fut de loin le plus dur, un peu comme Robinson constatant que ses réserves de nourriture avaient été dévorées par les rats. J'aurais fait n'importe quoi pour entendre Mozart ou Verdi.

Alors, fallait-il repasser le rideau de bambou et rentrer à Paris ? Non, j'étais résolu à aller jusqu'au bout. Je voulais essayer ce traitement comme on s'attaque à la face sud de l'Everest. La solitude et ses miasmes étaient le prix

18 miasme : émanation malsaine qui s'échappe des matières en décomposition

de l'ascension, je l'avais décidé ainsi et chaque jour passé était une victoire sur la facilité.

Un matin pourtant, le téléphone sonna. Mauvaise nouvelle : Pékin n'avait pas répondu et mon visa expirait le lendemain. Je refis mon sac ; j'allais retrouver ma musique et le regard de Mathieu qui souffrirait de mon échec. J'avais tout tenté et, gentiment, presque en m'excusant, je remerciai mes amis chinois en leur disant : je reviendrai.

Le lendemain, une heure avant de prendre mon train, l'interprète, accompagné du responsable du ministère des Affaires étrangères, pénétra dans ma chambre dans un état d'excitation peu courant pour un Chinois.

— J'ai votre billet d'avion pour Pékin et votre visa.

Je fermai un instant les yeux, heureux de ma maigre victoire. Les chemins difficiles et les portes étroites, me disais-je, aboutissent toujours quelque part. Le hasard n'existe pas.

Dans l'avion qui me conduisait à Pékin, je me jetai sur le repas presque diététique : deux pommes, un chewing-gum et un paquet de cigarettes auquel je ne touchai pas. Ma joie était si grande que j'avais envie de crier, d'inventer des slogans. Je venais de faire ma révolution, avec déclaration des droits de l'homme, après tout ce temps dans les hôpitaux. Je regardais mes voisins mordre à pleines dents dans la chair blanche des pommes. Tout bas je répétais, comme un conspirateur : « Famine, je te hais. »

J'arrivai à Pékin un peu avant Noël, ce qui faillit provoquer un incident diplomatique.

L'ambassade m'avait accueilli à ma descente d'avion, m'avait trouvé une chambre d'hôtel et, comble de délicatesse, m'avait aidé dans mes démarches auprès des médecins de l'hôpital de la Capitale, anciennement « hôpital anti-impérialiste ». Pourtant, à l'approche de la fin de l'année et de la réception donnée par l'ambassadeur de France, M. Étienne Manach, qui allait devenir mon ami, presque mon tuteur, un problème se posait : allait-on inviter cet homme immobile au bal du 31 décembre ? Les gens du protocole, n'ayant sans doute jamais entendu parler de Roosevelt et de sa chaise roulante, rejetèrent ma présence à cet événement.

J'appris cela un soir en sortant de l'hôpital où je venais de recevoir mon traitement d'acupuncture. La température, qui d'ordinaire avoisine — 10°, était subitement montée à + 5°. On aurait dit le printemps. Tout à coup, sous un ciel de plomb, la première secousse arriva, ébranlant les immeubles, faisant jaillir des cris de panique de la population très dense dans les rues commerçantes de Pékin. La terre résonnait ; son courroux fit quelques années plus tard un million de morts dans la région de Tien-Tsin, tout près de Pékin.

En rentrant à l'hôtel, un message m'attendait : l'ambassadeur en personne me conviait à la soirée du premier de l'an. Je remerciai la terre, moi qui ne pouvais plus marteler ses plaines de mes pieds endormis.

Je me fis des amis dans cette ambassade, et à tous les niveaux : gradés comme coopérants, secrétaires, chauffeurs, et surtout Jean-Philippe qui me fit découvrir Pékin et ses trésors, le temple du Soleil, la Grande Muraille, les petits bistrots du lac des Dix Monastères.

Maintenant que la Chine n'est plus qu'un souvenir, je repense à ces gens du bout du monde qui m'apportèrent des livres, du fromage et toujours un mot pour consolider ma forteresse à deux pas du désert.

J'organisais mon temps dans cette chambre qui regardait le temple du Ciel. J'écrivais, je lisais, j'écoutais de la musique, je regardais l'oiseau. Le soir, je mangeais seul, alors qu'à l'autre bout du restaurant le correspondant du *Monde* prenait son repas en silence. J'eus beau l'inviter à ma table, rien n'y fit. Il est vrai que je n'avais pas de titres, peu de diplômes et que, chose suspecte avant tout : j'écrivais.

Quand les équipages d'Air France s'arrêtaient une nuit, j'écoutais leur conversation à la grande table du restaurant. Ils parlaient de Paris, de la crise de l'énergie, des derniers films. J'avais de quoi rêver pour un mois.

Quelques colis m'arrivaient grâce à la gentillesse des gens du bureau d'Air France qui m'avaient donné Rouge-Neige.

Il y avait bien un autre Français dans cet hôtel mais il ne parlait pas. Dommage ! car ce passionné de l'Amazonie, qui se faisait parachuter en brousse pour vivre avec les Indiens, m'aurait fait rêver, moi qui ne connaissais encore rien du monde.

Le soir, très tard, je me rhabillais, sortais de ma chambre et allais manger une soupe de nouilles avec les chauffeurs de taxi venus se réchauffer. Ce rituel créait des liens avec le personnel de l'hôtel. Rien de bien étroit ! juste un sourire, une complicité.

Ainsi se passa une année, apparemment bien « programmée ». Mon temps était pris dans une forteresse qui interdisait aux courants d'ennui ou d'angoisse de la traverser. Mon système « de jour » était, certes, efficace — bien que peu sophistiqué — mais la nuit, peuplée de cauchemars, prenait sa revanche. La nuit m'empêchait tout simplement de dormir. Je macérais pendant des heures, à remuer des souvenirs, avant de trouver le sommeil.

*
**

L'histoire de Ron, cet Américain victime de la guerre du Viêt-nam, me hantait. Son histoire était celle d'un combat et d'une révolte. Non seulement d'une révolte contre la folie de la guerre, mais d'une révolte contre sa condition de paraplégique ; contre cette éternelle « assistance », récupération, répression des pouvoirs publics et politiques, contre l'institution hospitalière ; contre tout ce qui fait d'un malade un handicapé. Avec Ron, je découvrais l'engagement et c'était justement ce combat que je désirais, avec les autres, pour les autres. De cela il ne me fallait surtout pas « guérir ».

Je m'étais fait déposer au *Veteran Hospital* de Long Beach, dans le sud de Los Angeles. Je désirais y saluer mon ami Mike. En sortant de la cafétéria, quelques minutes plus tard, je rencontrai un drôle de type dans son fauteuil roulant. Il avait des bacchantes énormes et une

22

volumineuse toison qui lui tombait sur les épaules. Les manches de sa veste militaire avaient été coupées au couteau. Il me regardait dans les yeux.

— Je m'appelle Ron, et toi ?

— Patrick.

— Tu es français ?

— Oui.

— Alors viens, on va se fumer un joint.

Je le suivis dans le parc où des dizaines de jeunes en fauteuil roulant se faisaient bronzer. Ron sortit son papier à cigarette et commença à rouler du tabac mélangé à de la came colombienne. J'avais déjà entendu parler de lui. Je savais qu'il avait écrit un article dans *Rolling-Stone* qui relatait son « histoire[1] ». Je le lui dis.

— Oui, m'expliqua-t-il, j'ai fait ça pour les copains qui se sont fait dessouder là-bas au Viêt-nam et qui croupissent dans les hostos.

— Et si maintenant tu me la racontais, ton histoire ?

Ron me regarda attentivement puis, tirant doucement sur son joint, se cala dans son fauteuil, la tête légèrement penchée, comme pour mieux s'écouter :

« Le sang coule de mon treillis, probablement de ce trou ignoble, rose et blanc, qui ricane de mon épaule. Un type hurle dans mon dos : " Ça sent l'urine... " Qu'est-ce qu'ils foutent, bordel ! Je ne peux plus bouger, je ne sens plus mes jambes. Là, dans le marigot, le lieutenant me regarde

---

1. Ron publiera quelques années plus tard ses souvenirs dans un livre intitulé : *Born on the four of july*.

fixement, une grosse mouche verte fait le va-et-vient sur ses lèvres. Il doit être mort mais je m'en fous, je ne sens plus rien. "Sortez-moi de là ! sortez-moi de là !" Je pleure. Je ne sens plus rien.

« Un grand Noir m'a chargé sur ses épaules tandis qu'autour de nous le bombardement s'intensifie. " Enfants de salauds ! " répète-t-il entre ses dents brillantes. Et mes jambes qui ballottent dans le vide, molles et tordues comme celles d'un pantin. Un obus explose près de nous. Je suis projeté dans le sable, recroquevillé sur cette moitié de corps qui n'est plus à moi.

« J'ai perdu mon fusil là-bas près de la rive mais je m'en fous : vivre, s'accrocher à cette putain de terre gluante comme de la merde.

« Trois gars de mon bataillon m'ont ficelé sur le brancard. Mes jambes, je ne les sens plus. Je ne peux plus les bouger. J'essaie de respirer calmement. Le sergent à l'entraînement nous avait dit : " En cas de blessure, restez calmes, avalez l'air par la bouche. " Qu'est-ce qu'il en sait, ce con ? Ça y est : on va pouvoir quitter ce coin de merde avec l'automitrailleuse.

« Les types, tout autour de moi, gueulent. L'un d'eux qui a perdu la moitié de son visage, appelle sa mère tandis qu'à côté de moi le petit Andrew, du 57e régiment de marine, tient ses intestins qui lui sortent d'une énorme plaie béante. Peu à peu le bruit de tonnerre s'éloigne ou recule. C'est bon, on va me soigner... et puis tout repartira comme avant.

« Déjà l'infirmier m'enfonce deux grosses aiguilles dans les bras et une sonde dans le nez. Un homme près de moi

24

a perdu ses jambes et crie comme un enfant tout en tapant ses moignons contre la carlingue. Son sang s'est transformé en gelée rose. La nausée me prend. J'ai envie, moi aussi, de crier, de leur dire que je suis plus esquinté qu'eux et qu'ils doivent fermer leur gueule : " Je ne sens plus rien depuis la poitrine ! Je suis presque mort ! Vous m'entendez ? " Le cul-de-jatte frappe de plus belle ses moignons contre la carlingue de l'automitrailleuse. " Dieu ! Je vais me calmer, je n'ai pas peur, je te promets . " La porte s'ouvre et deux brancardiers couverts de sang séché empoignent la civière. La lumière est très vive.

« — Votre nom, grade et numéro de matricule ! Le nom de votre mère, de votre père ?

« — Je vais crever...

« — Date de naissance ?

« — Je ne sais plus, je ne sens plus rien...

« — Religion ?

« — Sauvez-moi, sauvez-moi ! Quand allez-vous m'opérer ?

« — Du calme, mon gars, on a eu beaucoup de boulot avec vous autres. Ton tour viendra.

« Me voilà seul dans le coin de cet hôpital de campagne, seul avec ce corps mou et puant. Le curé est passé pour me donner l'extrême-onction.

« — Je suis prêt, mon père ; je me suis battu jusqu'au bout. Je suis un bon soldat. Quand va-t-on m'opérer ?

« L'infirmière est venue avec le masque à oxygène. Me voilà aux portes de la nuit, délivré de ce corps pourri. Je suis un bon soldat, je saurai me battre dans le froid de la mort.

« Je me suis réveillé peu après l'opération, au milieu de cris étouffés. Une forêt de tubes partent de mes bras, de mon ventre, la machine pompe inlassablement pour m'apporter l'air nécessaire à ma respiration. Je dépends d'elle totalement. Quand la nurse vient me faire la morphine, j'essaie de lui sourire avec les yeux, mais elle ne me voit pas. Elle ne voit que les moignons du cul-de-jatte entourés de gelée rose.

« La machine-pompe vient de s'arrêter. J'étouffe. L'infirmière a sauté sur mon ventre et de tout son poids écrase mes côtes. Ça y est ! c'est reparti. Elle s'assoit près de moi, essuie la sueur de son front et allume une cigarette.

« Deux médecins passent près de mon lit en parlant de la saison de football. " La machine, bordel ! " crie l'un d'eux. Ça y est, c'est la panne à nouveau. L'infirmière m'écrase comme un sac de papier vide. L'un des deux médecins a réussi à rebrancher la pompe diabolique. " Je parie sur l'équipe des Dallas Cow-boys, qui a fait un bon début de saison ", dit-il en refaisant l'épissure sur le fil de branchement.

« L'infirmière crie après un jeune pilote qui vient de pisser et de chier dans ses draps propres. Elle peut crier jusqu'à en crever, il ne l'entend plus... il est déjà très loin, loin au-delà de la guerre, loin dans sa tête qui ne sait plus que sourire.

« Aujourd'hui nous avons eu aussi la visite d'un général qui nous a remis une médaille et puis a posé auprès de mon lit pour la photo polaroïd. " Votre famille sera fière de vous, dit-il. Au nom du président des États-Unis, je

26

vous remets cette décoration. " Il dit cela au jeune pilote qui baigne à présent de la tête aux pieds dans ses excréments. Il arrête son discours. Le petit jeune homme, si loin déjà, vient de mourir.

« Bientôt je quitterai le Viêt-nam pour toujours. »

Au fond de ses yeux roses, le silence s'était fait plus grand. Dans ma bouche le goût de rouille était revenu lorsque j'avais pensé à cet hôpital suisse où l'on m'avait transféré. Il n'y pleuvait pas de bombes. Les infirmières ne sautaient pas à pieds joints sur le ventre des malades. Le médecin-chef, dans sa drôle de chaise roulante, ne parlait pas de football. Pourtant savait-il encore rire ? Que voulait-il de nous, ce docteur si froid ? Que cherchait-il au fond de nos corps ?

Ce matin-là, deux semaines après l'accident, il était entré dans ma chambre en silence, comme pour ne pas déranger les raies de soleil qui faisaient sur la couette du lit un tapis imaginaire.

— J'ai examiné les résultats de la cystographie, et je crois qu'il est temps de procéder à une petite intervention. Cela d'ailleurs ne changera rien à votre vie. C'est simplement une petite fente au bistouri dans le sphincter vésical. Ensuite vous ne serez plus embêté... Demain matin nous allons nous occuper de ça.

J'essayai de protester : cette opération, quoique bénigne à ses yeux, ne m'apparaissait pas indispensable si peu de temps après l'accident. Une résection du sphincter, même partielle, me laisserait incontinent pour le restant de mes jours. Et qui pouvait dire si une quelconque évolution n'était pas encore possible ? Mes protestations lui firent monter quelques couleurs aux joues.

— Vous n'avez pas à discuter les traitements que l'on vous prodigue dans mon établissement !

Nous étions restés sur nos positions et l'opération ne se fit pas. Ce n'est que plus tard que je compris les raisons de ce docteur coincé dans sa chaise roulante. Il s'intéressait à la maladie, et non pas au malade.

Ron se remit à parler, plus lentement cette fois, comme s'il pesait chaque mot. Je voyais avec lui la grosse nurse en train de le pousser avec le chariot sous la douche. « Ça ressemble, disait-il, à un gigantesque lavage de voiture où l'on entre par un côté, couvert de merde, et l'on en ressort propre comme un pantin vidé de ses matières et avec sa queue qui pend entre ses cuisses maigres. Une queue qui ne pourra plus jamais faire la fière. Le soldat, le combattant est là comme une loque numérotée, étiquetée, prête à être décorée et balancée dans la poubelle de l'histoire. »

Puis il me raconta son engagement dans les Marines — il avait dix-sept ans — afin d'« être le bras droit de John Wayne au cœur du combat ». Les jeux du samedi soir ne lui suffisaient plus et, bien qu'il fût considéré comme une terreur dans son quartier, quelque chose lui manquait. Ce quelque chose, il le prit dans la gueule en même temps que la voix railleuse du sergent :

— Mesdemoiselles, je suis votre instructeur et vous m'obéirez, car si votre âme, peut-être, vous appartient, votre cul, lui, est la propriété du corps des Marines !... Bande d'abrutis, vous êtes là pour apprendre à obéir et

28

devenir des marines. Vous n'êtes que des gamines et vous m'appartenez jusqu'à la mort. Déshabillez-vous, bande de femelles, et fermez vos gueules !

Ron aurait voulu garder la médaille que sa mère lui avait donnée pour son anniversaire, mais la frousse qu'il avait du sergent la lui fit retirer. C'est nu comme un ver qu'il se présenta devant le coiffeur pour perdre ses cheveux et entrer dans la peau d'un marine.

Cette première journée fut terrible et, quand ils plongèrent exténués sur leur lit de camp, la voix du sergent les y poursuivit :

— Vous êtes crevées, mesdemoiselles ? Vous n'avez rien vu, rien enduré encore, tout va commencer !

— A vos ordres ! aboyèrent-ils tous ensemble avant de s'effondrer.

Les muscles qui font mal, les oreilles qui bourdonnent, la barre au creux de la poitrine, tout cela je le revivais au travers du récit de Ron. Je n'avais été ni soldat ni guerrier en herbe mais, pendant de longues années, sur le tapis couleur de paille, j'avais ahané comme un animal, faisant et refaisant pour la millième fois la même prise, le même assaut, souvent contre un adversaire fictif ou devant le miroir. Le maître en demandait toujours plus. « Sur son lit de mort, disait-il, un grand maître fit son dernier *tsuki* et, tout en souriant, déclara : " Voilà quatre-vingts ans que je me préparais, je crois que je le tiens à présent. " » Dix ans passés dans le dojo à fortifier mes muscles sans savoir qu'un jour mon esprit aurait à lutter dur, très dur !...

Ron se tut un long moment pendant lequel il se prépara un autre joint. Quand il reprit le fil de sa vie, le sergent avait disparu dans la poussière et le son de sa voix n'était plus qu'un murmure : « Il ne faut pas se demander ce que votre pays peut faire pour vous, mais ce que vous pouvez faire pour lui ! »

Un matin, alors qu'il se reposait dans le jardin, on vint chercher Ron pour la parade du Memorial Day. Deux hommes en uniforme de la Légion américaine lui serrèrent la main.

— Vous êtes toujours cette brute de marine que nous avions connue à l'hôpital ; vous avez vraiment des couilles, mon vieux : l'Amérique peut être fière de vous.

Ils traversèrent la ville jusqu'à une grande esplanade où des milliers de gens, endimanchés, attendaient en silence. Les majorettes, suivies des scouts, défilaient au pas. L'un des deux légionnaires prit le micro et annonça de sa voix lourde et claquante :

— Un de nos anciens combattants du Viêt-nam va vous parler. Avant de lui laisser la parole, je voudrais vous dire juste quelques mots : je crois en l'Amérique et en sa victoire totale contre le communisme. Nous devons triompher !

La foule s'était mise à crier et puis, soudain, ce fut au tour de Ron de parler. La foule, comme une boule, lui montait dans la gorge. Ce qu'il dit, ce jour-là, n'avait aucune importance et, d'ailleurs, la foule s'en foutait totalement.

Quand la nuit vint, il resta tout seul sur l'esplanade, à deux pas de son école, près du terrain de base-ball où, quelques années auparavant, il avait, avec quelques-uns de ses copains maintenant morts là-bas au Viêt-nam,

Michael
Jacobs
et sa
partenaire.

Patrick Segal dans le camp de Tall el Zaatar.

Patrick plâtrant un combattant à l'hôpital de Beït Chebab.

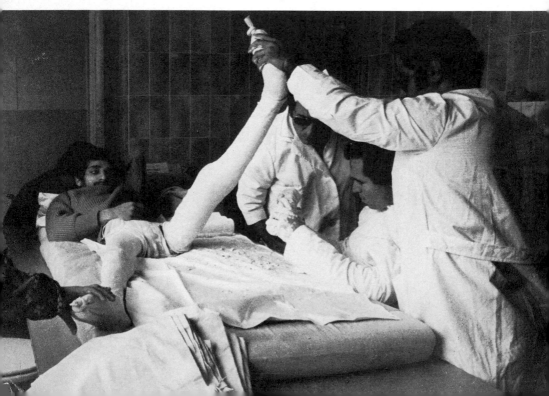

joué, crié et couru jusqu'à en perdre haleine. Il regarda ses médailles, ses jambes tordues et molles et tout doucement il se mit à pleurer. « Dieu, pourquoi ça m'est arrivé à moi ? J'ai pas voulu ça ! Regarde-moi, je n'ai plus rien que ma misère ! Ils m'ont tout pris, tu m'entends ? Tout pris. J'ai donné mes jambes et ma queue pour cette putain de démocratie. Je vous rends tout : votre Amérique, John Wayne, ceux qui sont restés là-bas dans le marécage, mais rendez-moi mes jambes, ma queue, rendez-les-moi et je vous foutrai la paix. »

Il ne rentra pas ce soir-là et, dans le bar de Richie, au coin d'El Paso Avenue, il se saoula jusqu'à tomber de son fauteuil. Il avait pissé dans son pantalon. Mais que lui importait d'être sale, puant et laid, puisque sa vie n'était plus qu'un morceau de chair molle ?

« Ma vie se serait enlisée dans toute cette pourriture somnolente et répugnante si, un jour de 1970 — c'était au printemps —, je n'avais entendu à la radio l'annonce de la mort de quatre étudiants lors d'un meeting contre l'invasion du Cambodge. Un grand rassemblement eut lieu à Washington pour protester contre leur assassinat. J'étais exalté par l'idée de rencontrer une foule de gens hostiles à la politique américaine ; indigné d'avoir été pris dans le piège vietnamien et d'être devenu un homme assis, rassis entre deux chaises.

« Le parc de La Fayette était noir de monde. Je me frayais difficilement un chemin au milieu des boîtes de conserve et des gens allongés comme à l'heure du pique-nique. Il n'y eut pas de discours, pas d'orateurs ; seulement le bleu pâle du ciel de printemps qui se reflétait dans l'immense bassin en face de la Maison-Blanche. Un homme s'y baignait nu et, peu à peu, par centaines ils se jetèrent dans l'eau. Ils s'éclaboussaient en poussant des cris, levaient la main, les doigts largement écartés, faisaient le V de la victoire. J'étais un peu choqué et ravi à la fois, comme un gosse qui brave son premier interdit. Tout cela me semblait beau, fort et quelque peu enfantin. Tout à coup, la police montée, qui se tenait à quelques centaines de mètres, se mit à charger. Dans l'immense bassin en folie l'eau se colora de rouge. Les matraques s'abattirent sur les crânes, les dos. Les gros yeux des chevaux se remplirent de colère. Quelque chose dans le fond de mes tripes, là où dormaient mes rêves, venait de se débloquer. Jamais plus je ne serais le même, tout venait d'éclater en moi. Les images dans ma tête dansaient à en perdre haleine. Là-bas, sur le 17e parallèle, des hommes et des femmes, nus et rieurs, s'embrassaient sous le soleil torride, sur la berge lumineuse. Les uniformes des guerriers n'étaient plus qu'un tas informe et ridicule. L'humanité faisait l'amour sur le sable gris de la rizière. Le sergent de l'école de combat rejetait tout à coup ses longs cheveux sur ses épaules et se mettait à répéter des paroles d'Évangile.

« Au fond de ma poche, mes décorations sonnaient comme des pièces de monnaie — maigre pourboire pour une telle addition. Nous n'aurons pas assez d'une vie pour payer le prix du sang, pour payer le prix de notre mort, là-bas, dans ce pays de miel qui n'est plus que poussière.

« Pendant des mois j'ai traîné de meeting en meeting, de réunion clandestine en conférence scolaire. Sur le mur de ma chambre j'épinglais des messages, papillons roses et bleus qui me parlaient d'amour et de liberté. Le militant devenait conférencier et le témoin homme-spectacle entre deux publicités télévisées. Mais quelque chose ne tournait plus rond. Le Viêt-nam n'était plus qu'une chiure de mouche sur l'uniforme de John Wayne. Nous ne refaisions plus le monde. Les fleurs sur nos treillis se fanaient. Il me manquait le combat, celui de la rue, face aux policiers, face à nous-mêmes, petits pantins émasculés... Dans deux jours ce serait la réélection du président Nixon et nous voulions frapper un grand coup... »

Ron s'était tu une nouvelle fois et ses yeux semblaient suivre une bataille.

« Depuis trois heures de l'après-midi nous bloquons la circulation sous l'œil impassible des flics casqués. Je vais de groupe en groupe, hurlant des slogans, je virevolte entre les bagnoles. " Regardez bien ce que la guerre a fait de moi ! Votre guerre de merde, foutez-vous-la dans le cul !" Un grand rouquin aux cheveux longs s'approche du cordon de police et hurle de tous ses poumons : " Laissez tomber, les gars ! Venez avec nous. " Il s'éloigne et s'approche de moi : " Ça va, mec ? Si tu veux, je te pousse. " »

« La police a entrepris un mouvement circulaire. Je gueule quelques consignes tandis que le grand rouquin me pousse de plus en plus fort.

« — Arrête-toi, lui dis-je, les flics vont nous encercler !

« J'essaie de faire demi-tour, mais les roues du fauteuil tournent dans le vide. J'ai à peine le temps de réaliser que le rouquin m'a ceinturé. Il me brandit sa plaque de police. L'un des manifestants s'est joint à lui et m'entraîne à l'écart. Je cogne de tous mes muscles. Le rouquin me balance par terre et se jette sur moi.

« — Fous tes mains dans le dos, salope !

« J'étouffe, replié sur moi-même. Il me fait une clef de bras et, d'un coup sec, referme les menottes sur mes poignets. J'ai la bouche en sang ; ils me cognent dans les jambes à toute volée. " Ne le frappe pas dans la gueule, dit le chef... On va lui faire avaler ses couilles à ce pourri de traître. " A chaque coup, mes jambes tressautent comme des polochons.

« — Arrêtez, bande de salauds, je suis un " vétéran ", je suis paralysé, arrêtez !

« L'arcade sourcilière vient de sauter. Ils me traînent sur le sol. Des femmes crient. Mon pantalon est tombé le long de mes chevilles, ma poche à urine a éclaté. Le rouquin m'a empoigné par les cheveux et me traîne jusqu'à la voiture noire garée en contrebas du boulevard. Ils me balancent sur le siège arrière. Je perds l'équilibre et prends un coup de genou en pleine poitrine. Ils me flanquent sur le plancher et me décochent des coups de talon. L'odeur de sang mêlé à l'urine me fait vomir.

« On m'emmène à l'infirmerie de la prison pour me faire passer des radios avant de m'incarcérer. Le médecin me regarde et dit :

« — Vous auriez mieux fait de crever là-bas. J'ai bien envie de vous balancer par la fenêtre.

« Ils me jettent dans une cellule. Une roue de mon fauteuil est tordue. J'ai envie de chialer, je n'en peux plus.

« Le lendemain, quand ils m'emmènent, avec d'autres

manifestants enchaînés, dans une grande salle fortement éclairée, je crie :

« — Vous ne me foutez pas les menottes et les chaînes aux pieds aujourd'hui ? Vous pourriez !... des fois que je parte en courant !

« Quand je me suis retrouvé dehors, j'étais libre mais plus prisonnier que jamais. J'étais écarté des autres militants restés derrière les barreaux, enchaînés et fiers. Libres de marcher, eux, les fers aux pieds ! »

Je laissai Ron à ses souvenirs enveloppés dans la fumée de son joint, et retournai dans l'hôpital.

Cette révolte contre les systèmes, hospitalier et autres, je l'avais connue, mais avec moins de violence car, selon moi, si la rééducation ne se fait pas ou se fait mal, c'est beaucoup plus par ignorance que par méchanceté. D'ailleurs, l'hôpital de Long Beach où avait peu séjourné Ron n'était pas à l'image de son récit. Je connaissais trop bien toute l'équipe soignante et le merveilleux Dr El Toraïe, si humain, si près de ses patients qu'il en oubliait parfois de rentrer chez lui. Non, le procès de la médecine est impossible et Mathieu, comme tant d'autres, l'expliquerait à Ron. Au-delà de la fonction, il y a l'homme et seul celui qui sait entamer un vrai dialogue avec les autres peut se dire thérapeute.

A l'inverse de Ron qui supportait mal le passage de l'uniforme de guerrier superbe à celui de rouleur de fauteuil, je ne m'étais jamais senti inférieur depuis que je m'étais assis pour regarder la vie en pleine face. Mon seul grade était ma ceinture noire, ce qui, au

Japon, est considéré comme l'insigne du bon débutant. J'avais tout à apprendre de la vie, des autres, de la mort. Je n'avais pas pris de collines au Viêt-nam ; je n'avais pas ratissé les villages en quête d'ennemi ; je m'étais mis au service des plus défavorisés sans rien attendre en retour.

Faire les choses pour rien, ce qui est étrange dans notre civilisation matérialiste, m'apportait une infinie plénitude.

**
*

Une autre histoire me hantait : celle du petit Paul.

Mathieu me l'avait racontée un matin, troublé et heureux à la fois, comme un enfant qui ouvre la cage de l'oiseau. Le petit Paul allait sur ses dix-sept ans, du moins ce qu'il en restait. Son teint était terreux, de larges cernes bordaient ses yeux de châtaigne. Enfoui au creux de son lit blanc, il n'attendait plus que la délivrance.

Poussé par on ne sait quel rêve, il s'était jeté par la fenêtre du cinquième étage. La famille avait profité de cet « accident » pour couper les ponts et se débarrasser de cet enfant en quête de parents.

Une chose le torturait, et cela se voyait sur son front blafard, frangé de brun foncé. Ce n'était pas tant la mort que son habit de bois clair qui nous drape dans la terre humide. Il se demandait si le cul-de-jatte du lit 84 serait mis dans un cercueil raccourci afin de faire faire des économies à l'Assistance publique. Parfois, la nuit, sous la lumière bleutée de la veilleuse, il criait : « Non, pas la boîte en bois ! » tandis que des gouttes de sueur perlaient sur son visage.

Un jour, alors que Mathieu passait près de son lit, il lui avait dit :

— Toubib, vous qui avez été à l'école, c'est vrai qu'on a retrouvé des soldats encore tout debout dans les marais de tourbe ?

— C'est vrai, Paul, pourquoi ?

— Vous, vous n'auriez pas envie de mourir debout ? Enfin, je veux dire, d'être enterré debout, ou assis comme sur votre moto ?

Debout, ça voulait dire quoi pour son corps ramolli ?

Mathieu avait souri et, complice, lui avait confié :

— Peut-être que, sans qu'on le sache, notre cercueil bascule sous l'effet de l'attraction terrestre.

Ça l'avait marqué au point qu'un jour, lors de la visite du médecin-chef, il lui avait demandé :

— Vous y aviez pensé à l'attraction terrestre ?

Le docteur avait écrit sur son cahier : donner un Valium 10 à Paul pour le calmer.

Mathieu avait décidé de sortir Paul, de lui faire découvrir l'autre côté de la rééducation, sans limite, sans restriction, sans interdits.

— Surtout ne le fatiguez pas, avait recommandé la surveillante générale, le docteur doit lui faire des examens lundi.

Dans la voiture conduite par un ami de Mathieu, il avait demandé :

— Ça va être la fête ?

On l'avait installé sur un grand lit au centre du salon.

Au milieu des amies de Mathieu, venues là pour le petit Paul, celui-ci s'était transformé : de la couleur barbouillait sa figure, ses yeux brillaient et s'attardaient parfois sur les poitrines de toutes ces femmes qu'il découvrait. Il s'imaginait revenant à l'hôpital comme le héros des bandes dessinées. Il faisait claquer ses *santiago* sur le carrelage javélisé, les mains collées dans un énorme ceinturon à boucle d'argent, le chapeau à large bord rejeté en arrière.

Paul resta un instant avec l'une des filles tandis que Mathieu et les autres se retiraient pour écouter de la musique... et donner à la liberté le temps de faire des cernes de bonheur au petit Paul.

*
**

Mathieu !

Perdu dans cette chambre, en Chine, à attendre une problématique guérison, combien de fois je pensais à lui, dont je ne recevais aucune nouvelle ! Capitaine en blouse blanche, n'avait-il pas sombré à bord de son navire-hôpital, au milieu de ses mangeurs de rêves bleus de piqûres ? Et moi, qu'est-ce que je faisais là ? N'étais-je pas, comme lui, en train de fuir le monde ? De courir après mes rêves d'antan ? Croyais-je lire mon avenir dans la Chine comme on le lit dans son journal ?

Quatre heures de l'après-midi, c'est-à-dire huit heures du matin à Paris. Mathieu devait prendre son café, les yeux encore gonflés de sommeil, la gorge ensablée de trop

Page précédente :
Patrick Segal au pied du grand Bouddha
de la grotte n° 16 de Yunkang,
province du Shansi.
Datong, mai 1978.

Petit matin sur Soutcheou.

Hangtcheou : une élève peintre.

Kweilin : scène paysanne.

de cigarettes. Il était là au bord du vide, faisant jouer ses doigts de pied sur le tapis usé de sa chambre. A des milliers de kilomètres de là, moi aussi je me tenais au bord du vide, regardant mes pieds immobiles dans leur habit de cuir sale.

Mathieu, je le pensais, je le rêvais, je l'égratignais parfois comme s'il était mon double, un autre qui ne serait ni devant ni derrière mais en dedans. Un Mathieu qui entrerait par l'échancrure que la mort avait laissée entre mes épaules, déchirant le costume d'arlequin, retournant l'habit, la parure, l'enveloppe, pour libérer l'homme neuf dégagé de son corps, et qu'importe si le sable ne fixe plus mes pas.

III
La longue marche

Chaque matin, je pénétrais dans « l'hôpital de la Capitale » aux toits retroussés, au milieu des vélos-pousses sur lesquels on transportait les malades. Ça sentait l'arnica, les compresses chaudes et le riz fumant.

A l'étage réservé aux étrangers, il y avait toujours des familles entières d'Africains en boubous multicolores, souvent pieds nus dans leurs sandales alors qu'il gelait à pierre fendre, venues là faire soigner angines ou otites.

Après chaque séance, j'attendais le verdict de Mme Li, le médecin acupuncteur qui jonglait avec les aiguilles jusqu'à l'engourdissement. J'essayais de lire le sursis dans ses yeux. Je craignais que subitement l'on ne me dît : « Il n'y a plus d'espoir. »

Voilà pourquoi, depuis des mois, au fond de ma chambre, je me préparais en secret. Je devais faire des progrès pour que les médecins consentent à me garder et continuent à me soigner. Chaque mois, lors de la procédure d'obtention d'un nouveau visa, il me fallait donner la preuve tangible et palpable que des progrès avaient été enregistrés.

Mes vieilles attelles de métal, montées sur des chaussures orthopédiques à bords larges, constituaient ma seule chance. Les jambes bien serrées dans les tiges de métal, je me mettais lentement debout. Mes mains s'agrippaient au dossier du fauteuil. Je me redressais encore un peu puis, maladroitement en appui sur mes cannes, j'esquissais un mouvement de balancier. Ce mouvement oscillatoire me faisait ressembler à un lapin mécanique. A chaque faux mouvement, une bouffée de sueur m'inondait le visage. Je serrais les poignées de mes cannes de toutes mes forces et tournais dans ma chambre avec des précautions d'explorateur et l'inquiétude d'un petit animal fragile. Dressé sur mes bottes de sept lieues, j'avais l'impression que j'allais toucher le plafond. Les meubles, tout d'un coup, semblaient s'enfoncer dans la moquette ou avoir été construits pour un nain. La baignoire n'était plus qu'une bassine émaillée, ma table un plateau ; la cage de l'oiseau avait l'air d'un napperon brodé. Habitué à vivre à mi-hauteur, cette nouvelle perspective me donnait le vertige et la nausée. Il m'arrivait de relâcher un instant ma tension d'esprit et de faire une fausse manœuvre. Je suffoquais dans l'air, tournoyais avec mes cannes pour reprendre l'équilibre et j'allais m'affaler, parfois sur le sol, parfois sur le lit qui hurlait sous le choc. Inlassablement je continuais mon entraînement secret...

Les séances d'acupuncture se succédaient. Mes questions, après chacune d'elles, étaient toujours les mêmes. Lorsque je rouvrais les yeux, une pâle clarté éclairait la pièce encore tout enfumée par les bâtons d'armoise que le docteur avait promenés sur ma peau. A travers le châssis de la fenêtre à guillotine, quelques flocons se dandinaient. Je disais à la jeune femme penchée sur sa table :

— Est-ce que l'on continuera ?

Elle relevait la tête et me souriait. Le sang me battait les tempes.

— Revenez la semaine prochaine avec votre interprète et nous en parlerons.

Une semaine plus tard, la porte de la salle d'attente s'ouvrait. La jeune femme médecin pénétrait, accompagnée de trois professeurs grisonnants. On se saluait. Des traces de fatigue couraient sous les yeux impeccablement plissés des médecins.

Ce jour-là, comme toujours, la discussion fut longue à démarrer. Chacun s'observait, on servait le thé, on relevait les jambes de son pantalon pour se gratter. Sourire. Un peu de thé ? — A vous. — Non, à vous. Et finalement on commença. Le docteur Li entama une phrase très longue où les mots de chaleur, engourdissement, sensibilité apparaissaient comme un bon signe.

L'entretien dura trois heures ; il fallut tenir à ce rythme entrecoupé de rires et de questions pointues.

— Et puis, vous comprenez... si nous n'obtenons pas de résultat, que penseraient les médecins de chez vous ?

Je perçus le rire moqueur des mandarins détenteurs de la vérité : « Ah ! vous vous êtes fait traiter par acupunc-

42

ture... Et alors, pas de résultat ?... » Qu'est-ce que cinq mille ans de médecine pour un médecin de Molière ?

Il me fallait respirer profondément, ne pas m'affoler. Un seul mot et la balance pencherait en faveur du doute.

— J'ai le sentiment d'une véritable et profonde amélioration.

Ma phrase partit, ronde et sèche, au milieu du terrain. Ils l'étudièrent, la caressèrent, l'admirèrent même et, tandis que la sueur ruisselait dans mon dos, tout en se concentrant ils m'annoncèrent que ce qui comptait en premier était cette « sensation de profonde amélioration » que je disais ressentir. « Même si elle est minime », ajoutèrent-ils. « Dans cette branche compliquée de la neurologie, l'avis du patient est capital... La force de réussir est en vous, comme un trésor caché sous le sable du temps. »

Quelques semaines plus tard, on m'apportait une lettre du bureau de la Sécurité. Mon visa ne serait pas renouvelé. Les soins étaient arrêtés. En regardant en face le messager, je lui souris et je dis ces trois mots :

— C'est pour quand ?

Je dis cela froidement tandis que j'aurais pu crier : « Je ne comprends pas ce dont vous voulez parler, j'avais l'assurance des médecins de faire un traitement long et méthodique ! » Je me calai dans mon fauteuil et me mis à rêver. « J'aurais tellement voulu leur prouver qu'ils avaient raison, que la sève coulait encore en moi, même si l'arbre était mort. Vous ne parliez pas ma langue et, pourtant, nous nous comprenions. Cela je ne l'oublierai jamais. Je vais rentrer chez moi à présent... »

J'étais dans ma chambre, couché sur le dos. J'attendais le soir. M'étant un peu assoupi, mes pensées étaient engourdies. Mon corps inerte semblait ligoté au matelas par des chaînes de plomb. Lorsque l'heure du repas fut venue, je ne sais quelle pensée folle — folle d'amitié et de reconnaissance — me donna l'idée d'offrir un cadeau à mes amis chinois. Je décidai de pénétrer debout dans la grande salle à manger.

Après avoir verrouillé les attelles, je pris appui sur les dossiers de deux chaises qui me servaient ainsi de mini-barres parallèles. Je me levai lentement pour ne pas créer une trop forte dépression respiratoire quand les viscères, en descendant, aspireraient le diaphragme.

Mon plan était bien établi. Sortir de la chambre (les gestes à accomplir : poser la main sur la poignée, se reculer et s'engouffrer dans l'étroit passage sans perdre l'équilibre). Emprunter le couloir recouvert de moquette rouge. Prendre l'ascenseur jusqu'au sixième étage. Un dernier couloir mène jusqu'à la grande salle.

Lâchant le dossier du fauteuil, je me retrouvai au milieu de la chambre, le corps en équilibre. L'oiseau bondissait de perchoir en perchoir. Il semblait ne pas vouloir en perdre une miette.

Arrivé contre la porte, mes épaules et mon cou tremblaient. J'enfonçai la porte plus que je ne l'ouvris et me retrouvai dans le couloir. L'oiseau me lança quelques mots que j'entendis à peine ; un courant d'air fit claquer la porte derrière moi. Je regardai le long couloir que j'avais à traverser, calmai ma respiration et, d'un mouvement pendulaire, lançai mes jambes. Mes mouvements étaient réguliers et sans heurts. J'atteignis sans difficulté le bout du couloir. En me voyant, la camarade préposée à l'ascenseur étouffa un cri. Mon aspect devait être fantastique. Mes cheveux ébouriffés par le ventilateur du plafond naviguaient dans tous les sens.

Au sixième étage, je découvris avec terreur que la moquette cédait la place à un carrelage glissant. Vingt mètres me séparaient encore de la grande salle. J'aurais voulu appeler. Que quelqu'un me soutienne. Je progressais avec lenteur. Tout mon corps semblait se nouer à chaque balancement et se dénouer, puis, à nouveau, un autre balancement... à la limite du possible. Enfin j'entrai.

En pénétrant dans cette salle immense, j'entendis les bruits habituels de vaisselle, les murmures feutrés, les rires, puis un visage se tourna vers la porte, et tous me regardèrent. Un silence pathétique se plaqua contre ma peau couverte de sueur. Un instant, je crus entendre l'oiseau, quelques étages au-dessous, qui me criait des mots d'encouragement. De la cuisine, de la caisse, de la plonge, quittant les tables, de partout je les vis arriver, comme une marée. Ils m'entourèrent et se mirent à applaudir. La salle résonna de leurs cris, fut traversée par leurs rires. Je me tenais au milieu d'eux, fier comme un chevalier en armure. La joie me faisait divaguer ; je me laissai choir sur une chaise.

Je mis plusieurs minutes à retrouver mon souffle. Je me disais, regardant autour de moi les yeux complices de mes amis chinois : « Je voudrais renouveler un instant pareil pour vous récompenser de vos efforts, de votre confiance. » Les mots que Bernard Stasi m'avait dits un jour jaillissaient en moi comme une certitude : « Tu fais la route pour nous, et nous marcherons derrière toi vers des étoiles inconnues. »

Quand je repris ma valise, elle était légère, comme si par un tour d'illusionniste l'homme coupé en morceaux s'était reconstitué et s'était évadé. Je regardai Rouge-Neige dans sa cage. Je lui prêtai l'oreille. Il me regardait de son petit œil rond mais ne chantait pas.

— Voilà, lui dis-je, nous sommes au début d'un long voyage.

Il ne bougeait plus, mais je le connaissais, il allait d'un seul coup sauter sur ses pattes et regagner sa balançoire en osier.

— Allez, l'oiseau, ne fais pas la tête !... Parle-moi, chante, éclabousse le silence...

Je le pris dans ma main comme un souffle de jaune écru. Sa tête bougea lentement vers moi ; ses pattes, recroquevillées, étaient raides comme des brindilles.

— Je suis paralysé, l'ami, me voici aux portes de la liberté.

— Non, l'oiseau, ne dis pas ça, on va encore faire la fête, je te promets que je marcherai pour toi. Tiens, on repeindra ta cage et, même si tu ne peux plus voler, je te ferai un petit carrosse, comme le mien. Ne me quitte pas... la mort n'est pas pour toi.

— Non, l'ami, je t'ai accompagné dans ton silence, dans tes pleurs d'homme seul, je n'ai jamais cessé d'être un autre toi-même, mais la mort est venue dans mon

46

corps d'oiseau pour te ressembler... Il est temps maintenant. Serre-moi.

**
*

Lorsque je revins à Paris et pénétrai dans ma chambre,
il y faisait froid et humide. Rien n'avait bougé depuis mon
départ. Il restait de la bière dans le fond d'une bouteille et,
dans un cendrier, les mégots laissés par Mathieu. Le lit
n'avait pas été refait. J'avais l'impression d'explorer un
navire englouti sous les eaux, avec ses restes figés. Je me
coulai dans mes draps trop humides sur l'empreinte qu'a-
vait laissée mon corps un an auparavant.

De grosses gouttes glissaient le long de la vitre tandis
que je grelottais dans mes couvertures. Je n'avais plus
aucune notion de l'heure, j'étais à l'envers du temps, du
monde. J'avais envie de crier, de frapper l'air humide qui
me collait les yeux comme un linge mouillé. A l'aéroport
j'avais attendu Mathieu, en vain. Mathieu restait dans sa
cage ; Mathieu n'était pas au rendez-vous ; Mathieu
n'avait pas tenu notre promesse. Où en étais-je ? Avais-je
encore peur de moi ? Il fallait que j'arrête là, pour toujours, cette nuit glaciale, la cavale, l'errance, la recherche
du corps perdu. Il fallait que j'arrête de courir après mon
ombre.

Je ne sais si ce furent toutes ces raisons ou la colère, ou
le désir fou de revoir Mathieu qui me poussèrent dans un
taxi. Les lumières des néons qui barbouillaient la ville
m'arrivaient comme des paquets d'écume.

Descendu sur le trottoir, j'aperçus la moto de Mathieu : le phare cassé, les bras de fourche tordus, le réservoir percé. Une loque de métal désarticulée. J'ouvris une porte à la peinture écaillée ; je traversai un long couloir humide qui sentait l'urine et les relents de poubelle... puis une cour minuscule et sombre comme une bouche assoiffée de lumière. Enfin je touchai le fond de cette maison. Il ne me restait plus à franchir qu'une porte peinte en rouge. Sur un bout de papier jaune sale accroché par une punaise : « Mathieu ». Autour de ce nom, on avait griffonné au feutre des numéros de téléphone.

En ouvrant la porte je sentis une odeur forte d'alcool et de cigarette. Je quittai mon fauteuil et pris appui sur mes cannes. Je progressais difficilement dans cet univers poisseux. Je suffoquais. Mes cannes cherchaient leur appui ; ma démarche manquait d'assurance. Je me pris les pieds dans une pile de linge sale.

La pièce du fond était séparée de celle où je me trouvais par un rideau effrangé. Je perçus le souffle saccadé d'un homme endormi. Et si ce n'était pas lui ? Quelqu'un d'autre aurait pu y trouver refuge. Je pensai une seconde rebrousser chemin ou bien attendre que la lumière entre dans la chambre. Mais j'étais à nouveau face à moi-même !

Ses cheveux bouclés émergeaient des draps fripés. Un bras enserrait l'oreiller. Sa tête livide semblait recouverte d'un épais maquillage blanc plissé au coin des yeux, comme s'il s'était renversé une boîte de talc sur la figure pour incarner dans sa solitude un nouveau personnage. Un visage blanc comme la mort. Sa jambe gauche était maintenue dans un plâtre. J'appuyai le bout de ma canne sur sa poitrine. Il se retourna et renversa sa masse énorme de l'autre côté du lit. J'appuyai plus fort. Il se retourna à nouveau, s'assit, encore abruti de sommeil. Enfin ses paupières s'agitèrent et il leva les yeux sur moi. Je restai là un long moment, figé, puis je perdis l'équilibre et tombai sur lui.

Je le serrais de toutes mes forces. Il essayait de se dégager mais la prise était solide. Les gestes d'avant me revenaient, la clef de bras tenait bon... J'écrasais mon ombre dans un étau de muscles. L'ombre cherchait encore la faille mais elle faiblissait, s'étouffait peu à peu. Puis l'ombre devint plus claire, presque diffuse. De seconde en seconde elle disparaissait.

— Patrick, arrête, j'étouffe !

Je relâchai ma prise. L'air lentement reprenait vie dans mon corps. Je me mis à rire de toutes mes forces.

DEUXIÈME PARTIE

I

Des images par milliers

Après la Chine, il y eut le tour du monde pour me refaire une beauté, oublier cette vieille nuit obsessionnelle peuplée de médecins guérisseurs et me laver définitivement des illusions, des faux-semblants, des espoirs inutiles. J'ai désormais le droit de vivre, de communiquer, d'aimer avec ou sans mon corps. Et qu'importe si la mort est en avance, le temps qui me sépare d'elle m'appartient et je veux le combler à ma convenance, hors du carcan médical, ni en enfer, ni en paradis, ni malade, ni guéri, simplement en état de communion avec ceux que j'aime.

Arrivé à Paris en janvier 1976, après ce long voyage plein de couleurs et de rencontres, je n'ai sorti de mon sac que mon blouson, laissant dans l'obscurité mes vêtements usés de bourlingueur. Je garde précieusement dans ma poche une lettre reçue en Amérique du Sud, lue et relue, toute froissée. Ces quelques mots griffonnés seront la clef de ma vie nouvelle : « Dès votre retour prenez contact avec l'agence de photos Sipa ; nous sommes intéressés par le récit de votre tour du monde. »

Mon récit, ce sont des centaines de photos, mes photos de Chine, du Viêt-nam, d'Amazonie, d'Amérique... moins celles de l'Indonésie que je ne retrouverai jamais, oubliées quelque part sur le buffet d'un gardien d'immeuble. J'écris donc à l'agence pour prendre rendez-vous avec l'un de ses reporters qui m'avait contacté au Venezuela, et la réponse arrive très vite.

Thierry, qui fait partie de l'équipe des photographes, vient me rendre visite dans mon appartement-placard.

— Le directeur veut te voir. Tu sais, c'est un coup formidable, nous pouvons te distribuer dans trente-cinq pays du monde !

Soufflé par une telle proposition, je regarde Thierry et ses grosses moustaches, mes yeux grands ouverts. C'est comme si des milliers de portes s'ouvraient en même temps.

— Si tu veux, je t'emmène à l'agence ; elle n'est pas loin d'ici. On te portera dans l'escalier.

J'enfourne aussitôt mes diapos dans un sac, comme à l'époque où je faisais rouler mon fauteuil de porte en porte avec mes premières photos de Chine. Nous arrivons à l'agence, rue de Berri. Dans quelques instants, j'y côtoierai ceux qu'on appelle les grands reporters et, malgré moi, je me sens un peu honteux avec mon sac et mes diapos.

En ouvrant la porte, c'est comme un immense râle, des

cris, des gens qui courent, des visages fatigués qui se regardent à peine.

— Ça fait une heure que j'ai demandé les négas d'Elisabeth Taylor. Loulou, c'est prêt l'enveloppe pour l'Allemagne ?

Quelle atmosphère après ma chambre qui sent la salle des ventes ! Je me fraie un passage dans le couloir encombré de boîtes de carton.

— Mimi, téléphone ! C'est ton fiancé, magne-toi !

Un moustachu petit format me regarde ; sur son visage on lit les nuits de veille, les planques, la course pour attraper un avion et faire le *scoop*.

L'homme qui m'accueille est très grand : cheveux grisonnants tombant sur les épaules, nez en bec d'aigle. On l'appelle le « Turc » mais son vrai nom est Gögshin Sipahoglu, grand reporter en Turquie, auteur de nombreux *scoops* et, depuis sept ans, patron de l'agence Sipa.

— C'est toi, Segal ? me dit-il avec un fort accent anglais. Ton histoire est extraordinaire ! Thierry, il faut que tu « s'occupes » de lui. Fais classer ses photos et prends ce qu'il y a de mieux. Est-ce qu'il y a des photos de toi en Chine, en Amérique du Sud ? C'est ça qu'ils veulent, les magazines.

Tandis que Thierry classe les photos, dans ma tête des images se sont mises à danser, à claquer comme une voile. Me revoici en cavale, mon tour du monde recommence, la nuit est loin derrière moi. Je vais devenir reporter comme Raymond Depardon et Roger Pic, ou comme Gilles Caron, disparu, Michel Laurent, mort dans une banlieue de Saigon le dernier jour de la guerre du Viêt-nam.

Le Turc regarde maintenant les planches photos. J'ai la frousse ; j'aurais dû m'appliquer davantage en *shootant*.

— C'est bon ce que tu as fait là ; on va sortir ça bientôt. Tu écris aussi ?

— Je viens de terminer mes notes de voyage et en plus j'ai un manuscrit que j'ai écrit en 1972 à l'hôpital.

— Tu vas le publier ?

— Je ne sais pas ; je viens d'arriver à Paris après un an et demi de bourlingue.

— Thierry, dis à Madeleine qu'elle me prépare un contrat.

Ça y est ! J'y suis ! La tête me tourne ; j'aimerais me cacher pour sourire et rire, et pourtant j'ai encore une chose à demander.

— Monsieur Sipahoglu, pourrai-je faire des reportages pour vous ?

— Si tu as un bon sujet, tu le fais, mais tu paies tes frais et tes films. Seuls les photographes de *staff* ont leurs frais pris en charge pour moitié.

— Ne vous inquiétez pas, je me débrouillerai.

Madeleine est revenue avec le contrat : 50 % pour l'agence, 50 % pour moi.

En rentrant chez moi, je tapais dans mes mains, je cognais contre les portes en criant : « J'ai trouvé du boulot, du boulot ! Je suis reporter ! Dans une grande agence ! » Si j'avais eu le téléphone, j'aurais appelé tout le monde... Au fait, où étaient-ils ceux qui m'avaient dit adieu avant le long voyage ? Ils ne m'avaient pas écrit, bien sûr ; ils pensaient que le courrier ne parvenait pas jusqu'en Chine ou bien que le facteur n'allait pas en

56

pirogue sur les bords de l'Amazone. Seul Bernard Stasi, le frère spirituel, connaissait le chemin qui mène à la Grande Muraille, au fleuve Rouge constellé d'orchidées avec ses boîtes aux lettres souvent découpées dans de vieux bidons d'huile.

Je descends au café du coin ; ça sent l'œuf dur et le beaujolais. Dans la sciure du comptoir mes roues ont tracé deux routes parallèles, comme l'empreinte de ma vie. Dans la cabine téléphonique un homme mal rasé parle en espagnol ; je lui souris lorsqu'il sort. Il me jette un regard un peu triste, comme s'il pensait : « Toi, tu es un émigré, comme moi, moins chanceux encore, aussi bas dans l'échelle sociale et sur le même barreau, mais sur un barreau brisé. » J'appelle Laurence, le seul être que je connaisse encore, avec qui je vivais avant la Chine et le tour du monde.

— Allô, Laurence... c'est moi !
— Qui, moi ? Qui êtes-vous ?
— Patrick.
— Patrick ! Mais où es-tu ?
— Dans un café.
— A Paris ?
— Oui !...
— Mais je croyais que tu habitais à Caracas. J'ai souvent demandé de tes nouvelles... on m'a laissé entendre que tu avais pris la nationalité vénézuelienne et que tu vivais avec...
— Laurence, viens me retrouver ; j'habite à la porte de Champerret. Enfin, j'y ai déposé mon sac.

Dans la rue je me suis senti plus seul encore et désespéré, comme si j'étais en retard sur le temps, comme si ces quelques mots avec Laurence m'avaient soudainement plongé et noyé dans le passé à la rencontre de nos sourires, de nos mains qui se cherchaient, de nos deux corps qui se serraient si fort que nulle ombre n'aurait pu passer...

Mais avec mon ombre je suis rentré. J'ai salué à nouveau la statue de Simon Bolivar. « Un jour je te porterai sur mon dos et nous irons vers le grand fleuve, le père des rios. Tu reverras l'Eldorado, la forêt constellée de fleurs d'orchidées, et le rapide du Caroni qui se fracasse à Canaïma dans la chute du crapaud. Et nous en sommes là, toi et moi, toi qui sers de support aux pigeons, et moi quêtant les miettes, battant de l'aile aux portes des agences et des journaux. »

Les jours ont passé dans ma chambre-placard où la nuit à l'odeur de naphtaline se peuplait de rêves étranges. Je me voyais couvrir une guerre et courais après elle avec mes boîtiers, mes pellicules ; parfois c'était un athlète dont je fixais l'image. Tout cela entre mes quatre murs couleur d'ennui, qui se rapprochaient de plus en plus. Chaque fois que je me réveillais, je décidais de réveiller aussi ma rage de vivre et la bonne conscience endormie des gens : ceux qui regardaient passer, sans s'arrêter, mon attelage et mes photos de Chine, ceux qui disaient qu'avec mon diplôme de kinésithérapeute je ne trouverais guère de travail, ceux qui referment à la hâte une porte de tombeau sur les tordus, les bancals, les invalides à cent pour cent.

Entre deux vagues j'allais à l'agence Sipa m'imprégner d'aventures. Je fis la connaissance d'Alex et de ses yeux bleus. Alex était cycliste et décida un jour de sauter le pas et de devenir un « chevalier de la plaque sensible », comme il se plaisait à dire. Thierry était mon impresario. Le beau Francis lui-même — le chasseur de célébrités, tellement redouté pour son mauvais caractère — me parlait gentiment. J'aimais cette ambiance un peu folle, mêlée de cris, de rires, de champagne bon marché que l'on débouche en n'importe quelle occasion. J'aimais la vie de tous ces jeunes baroudeurs de la photo et puis, pourquoi ne pas le dire ? le Turc me fascinait. On disait tellement de choses sur lui qu'il entrait dans la légende des Mille et Une Nuits. On disait qu'il s'était introduit à Cuba déguisé en curé avec le boîtier entre les jambes, que grâce à ses photos de Chine il était devenu célèbre dans le monde entier. Voilà qui me faisait rêver : « Bon, pour la soutane il a une longueur d'avance ; mais, pour la Chine, qui sait ce que le monde pensera de mes photos ! »

Car une idée toute simple avait germé dans ma tête. Pour que le monde se connaisse et me connaisse, il fallait lui présenter mes images.

Je me mis donc en quête d'une exposition photos.

En remontant la maigre filière de mes amis, rencontrés lors de mes voyages en Chine, je tombai une fois de plus sur Roland Do Hu, cet ex-pilote du roi du Népal, grand spécialiste du Népal et du nord de l'Inde et sur lequel roule un flot d'histoires. C'est lui qui m'avait fait connaître Laurence, qui m'avait introduit auprès des Chinois, qui était mon espèce de tuteur en Chine ; celui qu'on appelle le « prince » et que je décrivais ainsi dans *L'Homme qui marchait dans sa tête :* « Tout droit sorti d'un livre de contes et légendes de l'Orient du temps des guerres de l'opium. Mi-vietnamien, mi-français, d'apparence asiatique, et toujours déguisé en aventurier (...), il a une façon de fermer à demi ses yeux sur la fumée de son éternelle cigarette anglaise et de laisser rebondir son ventre de bouddha qui fait de lui une espèce de divinité noyée sous les nuages de l'encens ... » Je retrouvai également M. Song, l'homme qui savait sept langues à la perfection ; il me présenta dans les méandres de la diplomatie commerciale à des personnes qui connaissaient quelqu'un qui connaît quelqu'un qui... Enfin, le résultat de tant de tractations fut la préparation d'une exposition photos. Elle aurait lieu aux Galeries Lafayette pendant l'une des grandes foires commerciales du début de l'année.

L'organisateur payait le tirage des photos, faisait imprimer les posters et conviait le « Tout-Paris » à l'inauguration.

Pendant des semaines, au laboratoire, on a tiré, cadré, coupé. Les images sortaient des bains une à une : le froid du désert de Gobbi ; à Saigon une marchande de soupe ; les amoureux de Canton...

Puis, le matin du grand jour, on expédia le carton et les trente photos.

En attendant l'heure fatidique et le « Tout-Paris », ainsi

60

que me l'a laissé entendre M. Song dans son français nasillard, je tourne en rond dans l'appartement. Je m'arrête devant un miroir : ma veste est un peu usée mais, dans la foule, qui s'en apercevra ? Ils seront là, les yeux écarquillés, la bouche grande ouverte devant mes clichés. Je tourne comme un fou devant le miroir. Ils n'auront jamais vu ça : des paysans chez eux, des amoureux, des enfants éclatants de joie et de vie. Je vous promets que ma première exposition fera du bruit !

Devant les Galeries Lafayette le service d'ordre fait circuler le flot des voitures. Je me gare assez loin, le froid me fait du bien.

Au troisième étage ce n'est qu'une marée de smokings, de visons, de costumes sombres, de robes longues en satin entre lesquels je navigue difficilement. Ça sent le parfum et les épices. Des milliers d'objets de Chine, des centaines de statuettes attendent, narquoises, sur les étagères. Ma gaieté semble un instant les forcer à sourire. Les laqués me renvoient mon image.

Enfin, je pénètre dans la salle d'exposition. Thierry et Delphine, la responsable des archives photos de l'agence, m'aperçoivent et viennent vers moi :

— Alors les photos, ça en jette ? Qu'est-ce qu'ils disent ? Je n'arrive à rien voir au milieu de tout ce monde !

Delphine me prend le bras et me dit tout doucement, comme pour ne rien briser, comme on parle quand on veut sécher des larmes :

— Tes photos ne sont pas accrochées, ils les ont perdues cet après-midi au service des livraisons.

Ces mots m'arrivent au creux de l'estomac. Je me soulève sur les accoudoirs et, dans le brouillard des fumées de
cigarette, je regarde les murs, je n'entends plus rien, tout
me donne la nausée : les parfums, les laques, les épices,
les statuettes, les smokings, les satins, les exclamations.
Les visons eux-mêmes semblent se dévorer. Je voudrais
disparaître, m'enfouir dans une jarre en terre cuite jusqu'à
la fin des fins. Puis je me cache près des balais en fibres de
bambous et des parapluies... Des gens costumés passent
sans me voir.

Perdu dans la quincaillerie, j'ôte mon sourire, je range
mes poignées de main comme un clown dans sa loge et
regarde à nouveau les murs sur lesquels trente crochets
attendent, seuls et froids, comme à l'étal d'un boucher.

II
Nuit blanche

Tous les jours je vais à l'agence, j'écoute, j'apprends beaucoup. Je sais qu'un jour le Turc m'enverra sur un « coup ».

Tout le monde, dans cette boîte un peu folle, est très gentil avec moi. Alex, Thierry, Francis m'encouragent à m'accrocher et, surtout, on me considère comme un photographe parmi les autres. L'agence est à l'étage, au deuxième. Quand j'arrive, je siffle ; aussitôt trois gars descendent, deux pour me porter tandis que le troisième prend mon fauteuil dans ses bras comme un vieux chien.

Pendant l'année et demie que je fréquenterai l'agence, il n'y aura jamais le moindre problème — si ce n'est les reportages que l'on ne me donne pas, que je dois chercher moi-même ; mais je ne suis pas le seul : la plupart des *free lances* se débrouillent pour trouver eux-mêmes leurs sujets.

Je vis dans le tourbillon de l'actualité, je me prépare à sauter dans un avion pour couvrir le « gros morceau » avec télex, expédition par voie rapide dans la poche du pilote de ligne, et motard à l'arrivée. Je vis dans un tourbillon de rêves qui s'agitent dans ma tête sans vouloir jamais se réaliser et puis, un soir, le vent tourne, je sens que le gros coup est pour moi.

Lors d'un dîner dans un appartement de banlieue, chez des amis, je rencontre un garçon qui me dit faire de l'entraînement de vélo en tandem avec un aveugle. Il l'entraîne, précise-t-il, par le biais du cyclisme parce que cet aveugle participe à des compétitions de ski de fond et prépare les premières Olympiades d'hiver des handicapés physiques qui auront lieu dans deux mois en Suède. L'équipe de France y envoie une trentaine de compétiteurs, hommes et femmes.

Le voilà, mon reportage ! Et personne n'est au courant !

Le lendemain, je me précipite à l'agence pour en parler au Turc. Il se montre tout de suite d'accord pour payer la moitié des frais.

— Mais j'espère que tu as ce qu'il te faut comme matériel, parce qu'on ne peut rien te passer.

— Ça ira, ai-je répondu.

Mais s'il savait ! Trois optiques : un 28, un 50, un zoom 70 × 210. C'est tout !

Avant de partir, je prends rendez-vous avec l'athlète. Il s'appelle Guy et il a quarante ans. Il travaille à la clinique des aveugles du boulevard Haussmann.

Je garde précieusement toutes ces informations pour

moi, et nous nous rencontrons dans une boutique près de la clinique.

Il entre, veste de mouton, lunettes noires sur le nez, un nez un peu cabossé de lutteur. Aussitôt il me déclare qu'il est très heureux de me rencontrer mais que je vais être déçu parce qu'il ne participera pas à ces Olympiades.

— Quoi, que se passe-t-il ?

— Je me suis blessé lors d'un des derniers week-ends d'entraînement de ski. Jc suis sorti de la piste et me suis fracassé le nez et les dents contre un poteau. Je me suis aussi ouvert le front. Ça fait que j'ai perdu un mois, et un mois de préparation à la veille des Jeux, c'est la fin. Je n'ai pas pu reprendre l'entraînement. Pour moi c'est foutu... Tu comprends, c'est sérieux ce truc-là, je n'ai plus la condition.

— Ah ! ça non, il n'en est pas question ! Écoute-moi, Guy, tu t'entraînes depuis des années et maintenant tu cales à cause de quelques dents qui te gênent pour mâcher ta viande ? Tu vas reprendre l'entraînement ; tu as toutes les chances, et je serai là à te regarder, Guy, parce que je n'ai plus que mes yeux pour attaquer la montagne. Alors vas-y ! Vas-y pour moi !

Sur ma lancée j'écris au colonel Bigeard, qui a offert d'affréter un avion militaire pour transporter l'équipe de France. Accepterait-il que je sois embarqué comme photographe ? Il me répond quelques jours plus tard que cela ne pose aucun problème, que je ferai partie du convoi et que dans l'avenir, si j'ai besoin de quoi que ce soit, je peux compter sur lui.

J'entre aussi en contact avec la Fédération de sport

pour handicapés physiques. Le président Avronsart accueille avec enthousiasme ma proposition de couvrir l'événement et de faire un article agrémenté de photos pour son journal *Le Second Souffle*.

Ce second souffle arrivait, après des semaines d'errance, d'illusions, de désillusions, de désespoir, et finalement d'espoir pour moi.

Pour nous tous.

**
*

A l'aéroport du Bourget, dans ce petit matin de fin février, une bande d'hommes et de femmes emmitouflés dans des combinaisons de ski laissent échapper de légers nuages de fumée. Je reste à l'écart, n'osant trop photographier le groupe d'aveugles dans lequel se trouve Guy. Les amputés se sont installés confortablement sur leurs sacs, attendant le bus qui doit les amener à l'avion, un vieux quadrimoteur. Parfois une tête se tourne vers moi et vers mon fauteuil. On s'interroge probablement sur ma présence ici.

Pendant six heures de vol, calé au fond de l'appareil, j'observerai ces hommes et ces femmes qui vont s'élancer pour leurs premières Olympiades. Parfois l'avion perce le brouillard et là, comme une tête d'épingle, à deux doigts des ailes, apparaît la terre gelée, constellée d'arbres.

Sur la piste d'Örnskoldsvik, où nous atterrissons, il fait une température de — 10°. La sation elle-même est entourée de collines balayées par le vent du pôle. Ce para-

66

dis du ski de fond est très éloigné du cadre habituel à nos alpins qui devront remonter inlassablement ses deux maigres collines.

Le lendemain, je prends possession de mes laissez-passer et de mon brassard (il n'y a pas d'autres photographes étrangers), puis m'en vais faire mes premiers repérages sur les pistes de ski de fond et sur le tracé de slalom, spécial et géant. Chargé de mon matériel photos, me voici parti sur mon fauteuil qui fait des travers fantastiques dans les rues en pente. Les fauteuils suédois ont des pneus cloutés que la dimension de mes roues ne me permet malheureusement pas d'adapter.

Pour le ski de fond, épreuve courue par les aveugles et amblyopes[1], il me faudra un scooter des neiges. Ainsi, je pourrai prendre les concurrents en différents endroits du parcours. La pente du slalom n'est pas trop raide ; quatre hommes pourront me hisser jusqu'à la troisième porte avant l'arrivée, là où une violente reprise de carres est nécessaire avant de s'engouffrer dans le schuss final.

Question équipement, mon anorak de haute montagne sera parfait mais je n'ai qu'un pantalon d'été en synthétique — que je portais en Amérique du Sud —, pas de collants, pas de gants. Sur la tête, j'arbore ma toque de fourrure que j'ai rapportée de Pékin.

La veille des premières compétitions, nous assistons à la cérémonie d'ouverture dans un grand stade couvert.

_____
1. Personnes dont l'acuité visuelle est diminuée.

Les Olympiades se dérouleront sous la présidence de sir Ludvig Guttmann, fondateur du sport olympique handicapé. Sir Ludvig Guttmann est le médecin qui a fondé le centre de Stokemandeville, le plus grand centre de paraplégiques d'Angleterre ; il est cet homme qui a tellement fait — j'aimerais dire : qui a tout fait — pour la cause du sport handicapé.

Chaque délégation défile avec son drapeau. C'est l'Australie qui commence.

Ils sont un. Un quoi ? Un tout seul qui arrive du fond du stade, c'est-à-dire seul, c'est-à-dire tout : il est porte-drapeau, entraîneur, athlète ; il est petit, large d'épaules sous son drapeau de l'Union Jack, et il boite d'une manière insensée.

Ce petit Australien est sorti de la polio avec une jambe dite « folle », plus courte que l'autre de quinze centimètres à peu près et, comme on a mis devant lui un porte-enseigne suédois qui boite de la même façon, follement, mais sur une jambe opposée..., je les vois qui avancent du fond du stade, comme une paire de ciseaux qui s'ouvre et se referme dans le silence immense.

Il traverse le stade, comme ça, en pleurant de joie ; c'est le plus beau jour de sa vie, le premier grand jour de sa longue nuit de solitaire.

Au moment de photographier les autres délégations, des larmes ont glissé sur mes joues, des larmes grosses comme le cœur.

Je vais traîner dans les bâtiments où logent les deux équipes de France. C'est la dernière mise au point chez les skieurs alpins. Tout semble reposer sur Bernard Baudéan, double amputé tibial, Louis Louison et Rémy Arnod. J'essaie de les interviewer mais n'en tire pas grand-chose. L'atmosphère est tendue. Baudéan, sur ses gardes, me dit : « Qu'est-ce que tu fais ici ? » Je préfère ne pas insister et roule ma curiosité chez les coureurs de fond. Ici, l'on farte ses skis avec minutie. On discute du froid, du vent qui se lève, sachant leur importance sur la « glisse ». Comme des laques rouges, orange, bleues, les farts s'étalent sur les minces semelles des skis, qui vibrent comme des arcs.

A huit heures du matin je suis sur la ligne de départ du ski de fond. La température avoisine − 13°. Les concurrents attendent encore dans les vestiaires, mais moi, je ne veux rien rater. Mes doigts sont déjà rouges et, bien que je ne puisse sentir le froid sur mes jambes, je devine que je me gèle.

Les coureurs de fond sont répartis chez les hommes en trois classes : les aveugles, les amputés tibiaux et les amputés d'un bras. Guy, chez les aveugles, court le 15 km.

Parmi les aveugles de l'équipe de France, deux sont amputés d'un bras, souvenir de la guerre d'Indochine. Je verrai pendant la course l'effort fabuleux que peuvent produire ces hommes guettant dans la nuit chaque mot de leur entraîneur. Celui-ci court à deux mètres d'eux sur une trace parallèle sans avoir le droit de les toucher, même s'ils tombent. Si l'on connaît l'extrême difficulté du ski de fond, qu'on pense à ces aveugles qui n'ont qu'un seul bras pour se propulser ! Et qu'on sache aussi — c'est d'une grande importance — que les coureurs (non handicapés) de l'équipe de Suède ne font, avec eux, qu'une différence de 15 minutes sur 15 km !

Je guette le bonnet de Guy. Il s'avance dans la file, juste derrière un athlète noir. Il lève la tête vers le ciel gris chargé de neige, ses mains se crispent sur ses longs bâtons et, d'un seul coup, il se propulse, ses enjambées s'allongent, il cherche sa cadence, passe la bosse, disparaît dans un petit schuss et attaque le raidillon. Puis il disparaît dans le sous-bois.

Je vais rester dans cette neige profonde toute la matinée. Mes doigts s'engourdissent. Depuis combien d'heures suis-je là ? Je ne sais pas si je vais pouvoir tenir encore longtemps, enfoncé jusqu'aux genoux, le fauteuil à mi-roues dans la neige. Heureusement, l'une des hôtesses chargées de l'accueil m'a découvert et tiré comme un mulet jusqu'aux vestiaires surchauffés, puis elle est allée choisir à la ville un pantalon duvet. « Tenez ! m'a-t-elle dit, il vous ira très bien. » Avec ma veste et mon pantalon, je ressemble à un bibendum.

Ainsi paré, je vais trouver mon pilote de scooter des neiges afin qu'il m'emmène dans le bois. Il me désigne un traîneau accroché derrière son engin. Je m'y cale et, dans un tourbillon de neige, nous nous élançons, sautant racines et branches de sapin. Le pilote danse debout sur les cale-pieds afin de donner plus d'adhérence à la chenille de caoutchouc.

A l'abri des bouleaux et des conifères, le vent est presque tombé. Là, au bord de la piste, j'ai tout le loisir de fixer par l'image ces skieurs de fond. Le souffle rauque,

70

l'écume à la bouche, dans un voile de vapeur ils poussent, lancent leurs bras, ouvrent grand leur compas dans cette nuit d'éternité.

Mes doigts sont violacés. Encore un concurrent et je rentre — mon appareil, que je ne peux plus tenir, vient de tomber dans la neige. Encore un autre et je rentre. Non, pas avant d'avoir saisi celui-là qui fonce comme une locomotive...

Le soir, dans les dortoirs, on parle de ses prouesses, de ses déceptions. Guy a fini vingt et unième ; Jaarle Johnsen, Norvège, a gagné. « La neige ne me convenait pas, me dit Guy. Et puis les Nordiques, quel entraînement ils ont ! Mais tu vas voir, dans le relais on va se rattraper ! » Quant à moi, je me glisse dans mon lit avec une forte fièvre. Je me bourre d'aspirine et de couvertures pour transpirer et éliminer un début d'angine. Il me faut être en pleine forme demain pour les épreuves de slalom.

Une heure avant le début des épreuves, je me suis posté près de l'avant-dernière porte du slalom, sur une plateforme que j'ai taillée dans la neige avec l'une des pédales de mon fauteuil. Des spectateurs m'ont donné un coup de main pour gravir les cent mètres de neige profonde.

Je ne les connais pas bien, ces garçons et filles de l'équipe de France, mais je sens que ce quelque chose qui hier les bloquait, maintenant, à l'heure des affrontements, s'est dissipé.

En reconnaissant le terrain, Bernard Baudéan me fait un signe de tête et me dit, avec son accent des Pyrénées : « Alors, le photographe, tu es prêt comme nous ? »

Oui, je suis prêt, prêt à fixer le geste, le mouvement en déséquilibre à la limite du décrochement, le portillon qui touche l'arête du tibia et les cuisses qui tremblent un peu, les orteils qui cherchent l'appui, le souffle qui se fait plus heurté... Et c'est le départ : j'avale les premières portes, je bouscule les piquets — attention au ciment neige ! attention à la petite compression et à la porte n° 15 qui est à l'envers ! —, je sens que je vais gagner, mes jambes, oui, mes jambes s'agitent comme des pistons, je cours de porte en porte ; un pas de patineur et, sous la banderole d'arrivée, je lance mes genoux, oui, mes genoux en avant pour grignoter un centième...

Au centième, oui, car je ne suis que photographe ; certains me le rappellent, me donnent des sobriquets, sans doute pour rire.

Le premier ouvreur est passé, puis le second et tout de suite les Autrichiens montrent la couleur dans ce slalom spécial.

Dans la catégorie des amputés fémoraux, Anne Schneider, de l'équipe d'Allemagne de l'Ouest, surclasse ses concurrentes ; un style éblouissant, à peine sauté. Elle remportera les trois médailles d'or : spécial, géant et combiné.

Irène Moillen est de l'équipe de Suisse. Petite fille, elle a glissé sur le quai de la gare, le train est passé sur sa jambe à hauteur du genou. Depuis, elle est monitrice de ski aux Diablerets. Je la suivrai dans toutes les épreuves, non seulement pour ses performances — elle remportera également trois médailles d'or — mais pour son sourire et sa gentillesse.

Bernard Baudéan est parti ; je l'attends là-haut, à la cassure.

Il faisait une hivernale dans les aiguilles d'Ansabère, avec un autre grimpeur. Son copain est tombé et s'est tué. Il est resté seul, accroché sur une petite dalle verglacée, attendant que les secours arrivent. De toutes les Pyrénées on est venu pour le sauver. Il a passé là trois jours et trois nuits. Quand on l'a récupéré, il était gelé jusqu'à la racine des membres, c'est-à-dire jusqu'aux hanches et jusqu'aux épaules. On a réussi malgré tout à ne l'amputer que sous les genoux et des deux premières phalanges des mains.

Bernard est reparti à force de volonté, de hargne. Maintenant il se lance entre les portes, les fait valser ; il se sert de ses bâtons comme de balanciers, il passe magnifiquement à la cassure. Il n'a pas l'air d'aller vite et, pourtant, le chrono est là, il fait le troisième temps. Il obtiendra la médaille d'or dans le géant et au combiné.

Rémy Arnod, dans une autre catégorie, obtiendra la médaille de bronze au géant et au combiné ; Louis Louison, la médaille de bronze dans le spécial.

Un litige éclatera après la remise des médailles. Le Canadien John Cow ayant surpassé tous ses adversaires, une réclamation sera déposée « en raison de la nature ambiguë de sa deuxième amputation partielle ». Il y a quelques années, son avion s'étant écrasé dans la neige du Grand Nord, il a dû marcher pendant plusieurs jours pour retrouver une piste et, en marchant ainsi, il a gelé. On l'a amputé d'une jambe et de la moitié de l'autre pied. Face aux protestations, John Cow déclarera, avec le sourire :

« Je ne suis pas venu pour gagner des médailles mais pour rencontrer des amis. »

J'oublie le froid, je cadre et fixe les images ; je dois les fixer de toutes mes forces.

Au passage du seul Américain engagé, la foule applaudit. Bill Hovonic est amputé fémoral mais court avec une prothèse haute, noire, sur laquelle sont peintes de petites fleurs — et en short tyrolien. Pour le ski de fond, Bill s'alignera avec un casque d'écoute et un magnéto diffusant de la musique pop.

La course continue. Tandis que je vérifie mon appareil, un coureur allemand fait une chute spectaculaire ; quelque chose semble voler au-dessus de lui. Après quelque instants il se relève, souriant, et redescend sur un ski, tenant dans ses bras sa jambe artificielle qui vient de se casser.

*
**

Je me souviendrai longtemps de ces jeux :

Du petit Australien qui, à la fin de chaque slalom (il était hors compétition à cause de son « invalidité n'entrant dans aucune catégorie »), s'élançait sur la piste bosselée et creusée de profondes baignoires par le passage de tous les concurrents. A chaque virage il chutait, mais il s'accrochait, comme la neige s'accrochait à lui. Sa jambe atrophiée était maintenue par une attelle et ficelée après l'autre. Ses puissants bras semblaient le supporter presque entièrement. Dans un tonnerre d'applaudissements il franchira chaque fois la ligne, telle une boule de neige.

De ce jeune Suisse aveugle qui passait toutes les portes du slalom, guidé par la voix de sa femme qui le précédait de quelques mètres.

De la joie qui bondissait, fonçait, dévalait... comme un torrent des montagnes.

De la remise des médailles par le roi de Suède, au cours d'une cérémonie qui ressemblait à une fête de village, et du banquet de six cents couverts qui s'ensuivit.

De tant de paradis dans tous ces yeux, à tel point qu'à mon tour je me sentais léger, dégagé du carcan d'ici-bas. La porte de ma cage s'était ouverte ; je dansais moi aussi une gigue insensée. La vie était là.

III

La Transat dans un fauteuil

— J'ai regardé tes films avec attention, me dit le Turc, je ne les ai pas trouvés bons. Pourquoi ne t'es-tu pas servi d'un 400 ou d'un 180 ?

Le moment était venu de lui avouer que je n'avais ni 400 ni 180, mais un zoom bon marché et deux objectifs fatigués.

L'agence essaie de vendre mes photos. Vainement. Aucun journal ne veut les acheter. Les journaux dits sportifs, eux, ne s'intéressent pas à un « tel » sujet. Le temps passe, et puis un jour le Turc me demande de m'occuper moi-même de placer ma marchandise. Il est trop débordé.

Commence alors la tournée des grands magazines et des télés. « La presse catholique a fait un sujet dans le même genre il y a deux ans », me dit une jeune fille visiblement peu séduite par mes athlètes d'occasion. Le responsable des sports d'une chaîne télé, lui, m'envoie carrément balader.

Le soir, je rentre chez moi fatigué mais plus déterminé que jamais. Ce reportage doit passer. Franchir les barrières. J'irai jusqu'au bout de ma cause, « au bout » de la ligne. Je sais que derrière ce mur il y a des humains. Un jour ou l'autre, en un endroit, j'en découvrirai la porte.

Cette porte, c'est François Desplat qui l'ouvrit en grand, me priant de bien vouloir passer... dans son émission *Lundi Magazine :* « Apportez-nous toutes vos photos des Jeux olympiques d'hiver. »

Je noue une cravate sur ma chemise écossaise et, pour la première fois, je pénètre dans un studio de télévision. Aussitôt je ressens une grande amitié pour François ; j'aime ses yeux très doux et son humour de collégien. Sur l'écran, mes photos retrouvent leur grandeur humaine : enchaînées, elles prennent vie. Mon petit reportage devient message.

Bientôt j'« avale » les portes. L'assistante de Jacques Chancel me téléphone : «Bernard Baudéan est l'invité du *Grand Échiquier,* "Le printemps des jeunes". Pourriez-vous nous apporter vos photos ? Auriez-vous un film sur ces Jeux d'hiver ? »

A Örnskoldsvik, où j'ai travaillé comme photographe, la télévision suédoise a tourné un long métrage sur les Jeux. J'écris donc à l'un de mes amis du tournage. La réponse m'arrive rapidement : nous aurons ce merveilleux document primé meilleur reportage sportif de l'année.

Sur le plateau des Buttes-Chaumont, je croise le regard bleu de Jacques Chancel. Je m'imprègne de cette atmosphère chargée de paillettes. Je suis au milieu de gens du voyage qui nous emmènent loin au-delà de la ville, là où j'irai un jour me perdre à nouveau. Puis on passe cinq minutes du film de la télévision suédoise, cinq minutes qui frappent avec force gens du plateau, invités — tous de moins de trente ans —, spectateurs. Ce « printemps des jeunes » animé par le violoncelliste Frédéric Lodéon fut consacré meilleur *Grand Échiquier* de l'année. (Il m'arrive souvent de retrouver Frédéric dans l'atelier de mon ami Gérard Voisin. Au milieu des arbres polis et des bronzes, il joue pour les amis de passage connus ou inconnus.)

N'ayant pas les moyens de changer mon matériel photo, je me mets en tête d'améliorer ma technique et de « faire avec ». Faire avec quand on a depuis quatre ans des roues aux fesses en guise de souliers, on commence à connaître. Tant pis si je n'ai pas de téléobjectifs, je m'approcherai plus près des humains.

Je pars faire des petits sujets aux quatre coins de Paris où m'envoie Delphine, la responsable des archives, et puis, un jour, j'en ai assez de ce travail un peu médiocre et je demande au Turc de passer dans son équipe de photographes. Gentiment il me fait comprendre que je dois chercher moi-même mes reportages. Il ajoute cependant : « Dégote un gros coup et peut-être que je t'engagerai. »

Où dégoter le gros coup ? Je cherche, je cherche, jusqu'à ce soir de juin 1976 où je retrouve un drôle de bonhomme.

Je l'avais déjà rencontré un soir de février, peu avant

mon départ pour les Olympiades de Suède. Je ne l'avais pas vu aussitôt ; j'avais entendu d'abord sa voix puissante qui traversait la salle de restaurant où nous étions, Bernard Stasi et moi.

Un caban sur un pantalon tirebouchonné, des cheveux poivre et sel, des yeux gris-vert comme des algues, des yeux habitués à voir loin les récifs et les écueils ; des yeux qui cherchent au-dedans de l'âme. Avec sa voix habituée à parler contre le vent, il embrochait toute la salle. Je l'écoutais — il parlait de la mer — et déjà je me sentais prêt à appareiller. Tout ce qu'il disait était simple, logique, plein de bon sens et, dans ma mémoire, les mêmes mots surgissaient. Sa route, quoique différente, emportait le même espoir, la même volonté de vivre. Me doutais-je alors qu'une autre aventure allait commencer avec celui que certains appellent le père Jaouen, d'autres Michel ?

Le drôle de bonhomme continuait à parler ; on aurait dit qu'il s'adressait à un équipage et à ses passagers. Je le regardais : ce corps puissant, ces mains larges qui cherchent toujours à saisir, à saisir pour comprendre, à aider aussi, simplement, dans un geste, un mouvement, sans besoin d'outil.

Il est né entouré par la mer, à Ouessant. La mer, longtemps il devra la quitter. Une longue formation religieuse l'entraînera de centre en centre, à Laval, à Tours, en Algérie, au Maroc, puis, en 1951, il sera ordonné prêtre. Avant cela il y eut la guerre... Mais je ne raconterai pas. La liste de ses « aventures » serait certes passionnante, mais fastidieuse au père Jaouen et gênerait le marin.

Répétons simplement quelques faits, comme on pourrait les lire en quatrième page d'une couverture de livre : « Dès ses années de formation, il s'oriente vers la jeunesse délinquante. Cofondateur de l'association Jeudi-Dimanche, fondateur et animateur du centre nautique de Pen Enez, aumônier à Fresnes pendant plus de dix ans, fondateur du grand foyer des Épinettes pour les jeunes libérés de prison, patron de la fameuse goélette *Bel-Espoir II* et organisateur des grands voyages de postcure en mer pour les convalescents de la drogue. » Voilà qui en dit peu sur l'amour et le courage du père Jaouen.

Après le dîner, il nous avait entraînés dans un endroit à la mode, non pour y rencontrer le Tout-Paris des noctambules mais pour boire une bouteille avec le patron amateur de voile et parfois passager de ses bateaux. Le patron nous avait offert le champagne puis j'étais resté dans mon coin, avec ma coupe, à deux pas des danseurs. Deux pas que je ne referai plus.

Dans le fond de la salle, un homme semblait comme moi s'ennuyer un peu. Je m'approchai de lui et très vite nous nous mettions à discuter. Comme il me demandait qui j'étais et ce que je faisais, je lui ouvris mon album d'images. Je me souviens m'être emparé des cendriers, des verres, des bouchons, des cuillères et de les avoir disposés sur la table pour figurer mon tour du monde. Les cendriers représentaient les continents, les pays : la Chine, le Venezuela ; les verres des bateaux ou des capitales ; un peu de cendre le Viêt-nam. Nous avons discuté ainsi pendant des heures — les bouchons qui sautaient étaient autant d'avions sillonnant la planète. Parfois un doigt

80

s'appuyait sur un coin de table où vivaient des gens, parlant comme nous, tard dans la nuit, de cavales, d'histoires d'écolier... Cet homme avec lequel je parcourais le monde s'appelait Jacques Martin.

Je revis plusieurs fois le père Jaouen chez lui, à Paris, au milieu d'autres qui me ressemblaient avec leurs angoisses, leur soif d'absolu, leurs rêves pliés en quatre dans leur mouchoir. Chaque fois il parlait de ses bateaux, le *Bel-Espoir* et le *Rara Avis* qu'il allait faire partir vers l'Amérique pour le bicentenaire de l'Indépendance. Tous les pays du monde envoyaient leurs grands voiliers. La France, elle, n'avait pas jugé bon d'affréter son navire-école, la *Belle-Poule*. Aussi le père Jaouen avait-il décidé, simplement, sans souci des autorisations, que la France serait représentée par son intermédiaire. Le *Bel-Espoir* courrait dans la catégorie des grands voiliers ; le *Rara Avis* suivrait les solitaires dans la Transat. Le point de rencontre aurait lieu à New York le 4 juillet, jour de la fête de l'indépendance.

Depuis la première fois qu'il en avait parlé, j'avais remué l'espoir dans ma tête... « Et puis non ! » me disais-je, connaissant les difficultés innombrables d'une traversée de l'Atlantique à la voile, « il ne pourra jamais m'emmener avec lui. »

... Ce soir de début juin 76 où je rencontre à nouveau le « drôle de bonhomme », je ne peux plus attendre. Je jette mes craintes par-dessus bord et lui dis :

— Michel, est-ce que je pourrais embarquer avec vous pour la Transat ?

Il n'a pas hésité, pas cherché de prétextes. Non, dans sa tête, il me voyait des jambes, des jambes en forme de roues qui ne sauraient en aucun cas être un handicap. Les hommes pour voguer sur la mer empruntent tous un bateau. Ils ont des jambes en forme de bateau car ils ne peuvent nager comme les poissons. Est-ce à dire qu'ils sont handicapés ?

— Mais bien sûr, aucun problème, le bateau est grand, on t'aidera... Tu embarques avec nous le 5 juin.

Cette nuit-là, dans ma chambre-placard, je voyais la mer par la fenêtre. Mon lit avait une drôle de forme. Mes rêves dansaient dans un roulis interminable.

*
**

En vue de la rade, mon cœur se serre. La goélette a quitté le bord. Je la vois par la vitre de ce taxi qui m'a amené de Brest à l'Aber-Wrach, à toute vitesse pour rattraper le retard de l'avion. J'ouvre la portière et, plein d'angoisse, je regarde le *Rara Avis* à quelques centaines de mètres du quai. Je sors mon fauteuil, dispose le cale-pieds et roule au bord du quai — mes rêves écroulés.

Le chauffeur du taxi pense alors à klaxonner et, du milieu de la rade, nous entendons une voix, celle de Michel Jaouen. Nous crions mais il ne peut nous entendre. Sa voix, par contre, habituée à crier des ordres en mer, raconte qu'il n'y a pas de problème et qu'il vient me chercher avec le Zodiac.

Quelques minutes plus tard, le Zodiac m'embarque jusqu'aux flancs noirs du *Rara Avis*.

Sur le pont, le berger breton, surnommé Kif en raison de ses longues traversées avec les drogués, me renifle, aboie un coup, renifle à nouveau. Avec moi, nous voilà dix-sept : des barbus, des cheveux longs ou courts, des hommes et des femmes venus des beaux quartiers et des banlieues. Il y a là : Michel Jaouen ; les membres d'équipage qui font leur coopération ; un couple d'Américains qui vient d'accomplir le tour d'Europe à vélo ; deux filles, ex-camées ; un jeune garçon très « petit prince » ; un opticien et sa fille ; un architecte avec qui je partage ma cabine ; un photographe.

En début d'après-midi, on quitte l'Aber-Wrach, en se frayant un chemin entre les cailloux de la rade, puis on taille la route vers Plymouth où les solitaires de la Transat nous attendent. Le soleil tape avec délices tout l'après-midi, donnant à notre peau des couleurs de fruit mûr. Lentement, la nuit tombe.

Cette première nuit est bonne sur la bannette de l'étroite cabine, bien que je ressente quelques avertissements de dysenterie, séquelles de mon séjour au Viêtnam.

5 juin

Dans le jour naissant, Michel m'a pris sur son dos et monté sur le pont : des centaines et des centaines de bateaux nous entourent, faisant route vers l'Angleterre.

Comme nous ne pouvons pas, à cause de la taille de la

goélette, prendre place dans Milbay Dock — ces docks extraordinaires de crasse, noirs de monde, de fête et d'euphorie —, nous mettons l'embarcation à l'eau et descendons à terre.

Je vais aussitôt à l'hôpital de la Marine chercher quelques compresses... pour le cas où je me blesserais.

— Et pourquoi voulez-vous ces compresses ? me demandent les médecins de l'hôpital, me regardant sur mon fauteuil.

— Parce que je vais partir traverser l'Atlantique à la voile !

Ce à quoi ces médecins, très britanniques, réagissent comme si je devais traverser la rue :

— Ah bon ! très bien ! Vous avez raison de prendre vos précautions.

Quelques tours de roue dans Plymouth, dans ces mêmes rues où, il y a quinze ans, je traînais mes premières amours, persuadé qu'un jour je serais un grand navigateur, et je retourne à la fête. Une espèce de folie s'est emparée de Milbay Dock. Une atmosphère de baptême : les bouteilles de champagne éclatent sur les coques. Une atmosphère de mariage aussi : l'un des bateaux est couvert de voilages et de dentelles, avec une foule de petits nœuds blancs. Une immense fête où les gens promènent leurs rêves, se serrent les uns contre les autres et applaudissent. Certains bateaux sont minuscules, de véritables coques de noix où l'on entasse l'eau, les vivres et les vêtements ; d'autres sont immenses, tel le *Club-Méditerranée*, gigantesque machine hérissée de mâts, géant des mers manœuvré par un homme seul, un homme que je ne connais pas encore mais qui partage un peu de mon combat : il y a quelques mois, son pied a été déchiqueté et il n'en a retrouvé que très partiellement l'usage.

Le lendemain, ce marin, Alain Colas, viendra saluer le père Jaouen sur *Rara Avis*. Il regardera les drisses et les winches, ces câbles métalliques et ces treuils capables de rivaliser avec des monte-charge de chantier. Il parlera de ses difficultés techniques et de son handicap physique.

— Tu vois, lui dit Michel, tu auras peut-être des difficultés pour traverser, mais t'es pas le seul. Moi, j'ai embarqué Patrick.

Curieux, il se tourne vers moi, on se dit quelques mots. Des mots qui forcent la sympathie. On se retrouvera à New York.

Dans la brume, un peu avant l'heure du départ, Éric Tabarly annonce la couleur en sortant avec *Pen Duick VI* dans la baie. C'est très impressionnant de voir ce marin, seul sur un bateau fait pour quinze équipiers, déployer « toute la toile », à l'exception de son spinnaker, cette bulle énorme à l'avant du bateau que, par un système gardé secret, il peut envoyer tout seul.

Il y a peu de vent, la brume se lève sur ce bassin du Luxembourg pour adultes. Au coup de canon, Tabarly prend la bonne risée et taille la route ; il est suivi du *Spirit of America*. Le voilier de Colas s'avance, pesamment poussé par son imposante voilure. Dans quelques heures la mer les aura engloutis.

49°N 6°W
La mer montre son dos hérissé comme un chat, faisant

danser les assiettes sur la table du rouf où nous mangeons. Nous ne nous sommes pas encore parlé, même pendant les heures de quart. Nous sommes comme des animaux attentifs à un nouveau décor.

Le choc des vagues contre la coque ; j'aime ce silence fait de petits bruits, de nouveaux bruits.

48°20N 9°W

A cause du mauvais temps, impossible de sortir sur le pont ; nous sommes depuis notre départ enfermés dans le rouf ou dans nos cabines. Dans les cabines, il fait froid et humide ; les bannettes sont toujours moites, l'oreiller collant. Dans le rouf, on suffoque de la fumée des cigarettes. En plus, depuis le départ, je suis malade : la dysenterie m'a repris ; je me vide comme un lapin ; je salis mon pantalon trois fois par jour, je suis couvert d'excréments liquides ; c'est insupportable. Chaque fois, Michel — dont la puissance et le sens de l'équilibre sont formidables — me prend sur son dos et me descend à la cabine. Je m'assieds sur mes toilettes portatives (que je me suis fabriquées), on m'aide à enlever mon pantalon, je me torche et me lave avec le peu d'eau douce disponible.

47°30N 10°W

La mer est bien formée, le vent est nul ; si nous voulons être à New York le 4 juillet, il faudra nous aider du moteur. Michel est à la cuisine.

86

48°N 12°W

Sous le plancher des cabines de l'arrière, une fuite de mazout a été localisée ; me voilà pris entre les odeurs de cuisine, de mazout et de toilettes bouchées.

Je me suis fait tellement tabasser par la mer que je suis tombé plusieurs fois ces derniers jours. Mes toilettes en plastique se sont cassées. Je suis alors passé au travers et, sur le bord du seau métallique, je me suis ouvert les fesses sur une longueur d'un demi-doigt. Ma blessure se creuse de jour en jour, laissant des traces de sang partout dans les draps humides.

48°20N 13°W

Ce soir, c'est le signal ; le ciel gris et pâle s'est lavé le nez. Une douce lueur orangée s'étire dans la voilure. Nous sortons pour la première fois, emmitouflés dans nos anoraks. L'espace entre chaque vague est d'au moins cent mètres. Nous avançons tantôt sur son dos, tantôt dans son ventre. On croirait d'immenses berceaux au creux desquels les argonautes s'étalent en bouquets. Nous regardons le coucher du soleil : il s'orne un instant de sa parure du « rayon vert », ce halo qui l'entoure quand il se cache à l'horizon. (C'est mon ami Loïck Fougeron qui me donnera quelques années plus tard l'explication scientifique du rayon vert. Lorsque le soleil descend, les radiations solaires sont diversement réfractées. Le violet, l'indigo et le bleu sont diffusés vers le haut de l'horizon. Le jaune, l'orange et le rouge vers le bas. Seuls les rayons verts parviennent à l'observateur.) Et nous dînons pour la première

fois sur le pont, comme des oiseaux rentrés sous leur aile
— comme des oiseaux barbus et crasseux. Michel est avec
nous : il ressemble à un bloc de granit arraché à la côte.
Un instant, l'appétit me revient et ce sourire au ventre me
met du bonheur dans la tête.

— Où sommes-nous ? demande l'un de nous.

« Où sommes-nous ? » Affaire de dire quelque chose
car personne ne se perdra sous les étoiles.

— Tu vois, me dit Michel, les gosses ici peuvent se
repérer. Quand il est midi ça sent la bouffe. L'air marin
s'est chargé de les creuser. Le soir, le soleil se couche à
l'horizon et, la nuit, le ciel leur parle un langage tout à
eux. La Grande Ourse, le Petit Chariot, ce sont des mots
d'enfant, des mots de bon sens. Des mots à faire pleurer
un psychiatre.

Tout le monde se parle ; le niveau du baril de vin rouge
s'est mis à marée basse. Ça sent la soupe, le tabac rêche et
cette odeur de complicité inconnue de la terre.

47°30N 15°W

Nous sommes à cent milles des Açores. Des dauphins
viennent nous saluer ; Kif en perd la tête. Que se disent-
ils ? Pourvu qu'il ne saute pas à l'eau comme il a l'habitude de le faire lorsque le bateau avance lentement.

47°N 17°W

En pleine nuit, c'est la panique : *Gauloise,* barré par
un Suisse, Fellman, envoie un S.O.S. Son bateau, trop fra-

gile, a une voie d'eau importante. Michel ne quitte plus la radio. Réprimant nos fous rires, nous écoutons la voix de la standardiste de Saint-Lys qui répond, laconique, aux cris du Suisse :

— Je coule ! Je coule !

— Bon, ça va, message reçu.

— Mais je coule ! Il y a de l'eau partout !

— Bon, ça va, je transmets.

— Mais je coule !...

Michel s'est aussitôt proposé de se dérouter pour sauver *Gauloise* mais la Marine est arrivée la première.

16°N 18°W

La vie à bord a pris une autre allure. On ne parle presque plus de la ville. La vieille Europe craque, la logique de Descartes ne tient plus le coup. La politique du bas de laine fait place à un désir de vie sans épargne.

Le mauvais temps confine passagers et équipage dans le rouf, autour de la grande table devenue table de jeu. La petite bibliothèque est prise d'assaut, j'en serai réduit à lire les mêmes livres, les mêmes articles au cours de cette traversée. De gros grains recouvrent le rouf : toute sortie sur le pont pour changer de voile est saluée par une douche glacée.

Michel passe une partie de son temps à lire dans sa cabine ; j'en ferais bien autant mais la présence des autres m'est encore nécessaire dans ce nouvel élément. Les rapports sont pourtant difficiles.

Que de tours du monde il doit falloir faire pour ne plus juger, pour se taire et aimer l'autre !

Ma sobriété même est suspectée. Lorsque nous apprendrons qui a gagné la course, je trinquerai pour fêter l'événement, ce qui fera dire à l'un des membres de l'équipage : « Je suis heureux de te voir boire, j'ai l'impression que tu vas mieux. »

Michel ne prend jamais parti, laissant les vieilles habitudes terrestres s'émousser. Il y a ceux qui se réservent les quarts de nuit pour la solitude, la lumière jaunâtre du compas et la toile d'araignée du ciel. Quelques autres ont choisi ces longues heures de silence, rythmées par les coups de boutoir du bateau, pour attaquer les réserves de chocolat et de crème glacée. Les boîtes vides sont jetées par-dessus bord pour éviter tout remords de conscience. D'autres n'ont même pas remarqué qu'ici le ciel n'était plus le même et tentent de recréer des clans, des classes, des privilèges.

43°20N 21°W

Depuis dix jours, Michel ne voulant jouer ni le flic ni le maître, un certain délire s'était installé à bord : on ne savait plus qui faisait quoi. Et puis, aujourd'hui, l'une des deux passagères a traversé en courant le couloir à moitié nue. Elle venait de la cuisine, un couteau à la main. Elle hurlait : « Je vais le tuer ! Je vais le tuer ! » Michel s'est approché d'elle et l'a retenue dans ses bras. La fille s'est mise à sangloter.

Ils ont parlé pendant des heures, à la fin ils riaient. Il lui refaisait le monde et elle finissait par le trouver supportable. Pourquoi voulait-elle tuer ? Elle ne savait plus. Qui voulait-elle tuer ? Le temps, peut-être, qui avait tissé sa toile autour d'elle.

A partir de ce jour, Michel est redevenu la voix, la force douce. Je m'en réjouis car, au milieu des conflits, je me sentais comme un canard boiteux, comme un vieux chien usé qu'il faut porter, traîner, aider quand il s'oublie.

Cet état de dépendance poussée jusqu'au paroxysme me pèse très lourdement. Dépendant pour aller dans ma cabine, aux toilettes, sur le pont. Dépendant pour aller manger. Il n'y a que sur le pont, quand il fait beau, que j'ai une certaine liberté. Je peux alors circuler avec le fauteuil (qui est dans un état lamentable, tellement rouillé qu'on ne peut plus ni l'ouvrir ni le fermer). Il arrive, malgré la bonne volonté de tous, qu'un matin où chacun vaque à ses occupations on m'oublie dans ma cabine jusqu'à onze heures, midi. Dans l'obscurité et les odeurs de moisi, j'attends alors que quelqu'un passe par là, par hasard, et me monte là-haut !

Là-haut, le climat de tension s'est déchiré comme une toile. On fait des crêpes, une mousse au chocolat, la fête est revenue. J'oublie mes bleus, mes coliques qui me laissent comme un animal jeté mort sur le plancher ; j'oublie mon escarre qui se creuse. Aujourd'hui, je suis marin, un loup barbu capable de grimper à la force des bras dans les haubans. Je suis à mille milles de ma carcasse de métal.

39°N 28°W

Bien avant le lever du soleil, nous sommes sur le pont pour voir naître notre première île.

— Je te dis que c'est là, à tribord. Au-dessus des nuages.

Sans voir, nous savions que l'île existait. Les dauphins nous avaient fait la trace.

Nous regardons les falaises de Horta comme si ces fragments de terre venaient d'une autre planète, puis nous pénétrons dans le port de cette île des Açores. Arrivés au quai, tous les passagers débarquent en courant, s'égaillent comme des moineaux dans cette petite ville tranquille. Moi je reste à bord jusqu'à la nuit avec Michel puis me décide à errer seul sur le quai.

Les évadés du *Rara Avis* ne sont allés que jusqu'au premier bistrot boire et faire du bruit sous les regards étonnés des pêcheurs. Pendant ce temps, Michel a mis le nez dans ses moteurs, fait quelques courses et préparé une soupe comme tous les soirs.

Les quatre-vingt-dix-neuf pieds du *Rara Avis* nous ont délimité un territoire dans lequel nos différences, après s'être affrontées et déchirées, sont devenues de vraies différences. Nous sommes forts et faibles à la fois, emportés, adultes et toujours enfants dans une peau trop petite pour notre envie d'absolu. Aussi beaucoup reviennent-ils à bord — prétextant l'heure de la soupe — s'embarquer les uns avec les autres.

Le lendemain, on loue une voiture et on se balade dans l'île, un site merveilleux rempli de fleurs, de vergers. On se promène entre les volcans et on pique-nique au bord d'un lac, avec nos saucissons, nos jambons, et l'on savoure le calme après treize jours de mer, qui nous a tabassés sans discontinuer. En quittant le port, suivant le rite, nous des-

92

sinons notre bateau sur le quai et nous mettons la date :
18 juin 1976.

35°50N 31°W

Nous avons laissé le gros temps pour les douces ondées
d'eau tiède. Nous allons avec les vents alizés vers les
Bermudes. Il fait beau et chaud.

Je m'installe sur le pont et grimpe par les haubans sur
le taud (cette immense bâche qui protège le pont du soleil
ou de la pluie et forme de grandes poches d'eau lors des
averses), et je reste là, pendant des heures, allongé sur le
ventre pour soulager ma blessure qui s'est encore élargie.
En ces instants, je me fous de ma barbe et de mes cheveux
longs emmêlés, de la crasse et des draps sales, de cette
escarre sanguinolente. Comment ai-je pu me laver, me
peigner, me soucier de tout cela alors que dans ma tête
j'étais seul, seul à en crever, pourrissant dans un costume
réglementaire ? Je n'ai envie de rien, je ne pense à rien ou
presque. Lentement, au fil de l'eau, mon cerveau se lave et
se polit comme un galet, et puis roule silencieux dans le
sommeil.

35°N 30°20W

La température est encore montée. Michel est en train
de laisser filer une ligne à thon, quand soudain une voile
apparaît sur bâbord. Il saute sur sa radio. Sa radio ne
transmet rien. On change de cap pour se rapprocher du
bateau. Peut-être est-ce un solitaire ? Le petit voilier nous

a aperçus. Michel fait descendre le Zodiac. Loulou et Nano le Suisse l'abordent et puis reviennent dans une gerbe d'écume.

— Michel, c'est un Australien ; il court sa quatrième Transat.

— De quoi a-t-il besoin ?

— De rien !

— Bon, apportez-lui du whisky et une bouteille de champagne. Veut-il qu'on prévienne quelqu'un par radio ?

(La radio est l'une de ses passions. Je suis réveillé tous les matins par Michel qui, installé dans le poste radio, appelle Saint-Lys :

« Roméo-Alfa — Roméo-Alfa. Saint-Lys — Saint-Lys, m'entendez-vous ? »

Parfois je me demande s'il ne pourrait pas se passer de radio, vu la puissance de sa voix.)

Quelques minutes plus tard, Michel obtient Londres et la femme du solitaire.

Au nord, là où les solitaires les plus hardis se sont aventurés, le temps est mauvais. Aucune nouvelle de la course. Tabarly est muet, le paquebot de Colas est introuvable ; *Wild Rocket,* enfant chéri de Michel, ne répond plus.

36ºN 37ºW

Le vent est toujours faible, ce qui n'améliore pas notre route en dents de scie. Celui qui est de quart à la barre entend ce refrain excédé : « Le cap, bordel ! » puis le lent

94

balancement reprend au milieu des chairs roses et dentelées des argonautes.

Les conflits ne se sont pas définitivement arrêtés ; l'escale des Açores semble même avoir réveillé certaines luttes « terrestres ». Mon compagnon de cabine (qui ne m'a pas encore adressé la parole depuis le départ) s'est engueulé avec Cyril, le « petit prince », un jeune homme qui se fait des révolutions tranquilles sans ennuyer personne.

De temps en temps un oiseau, une hirondelle des mers, venue on ne sait d'où, se pose sur le hauban et s'en va. Un jour, même, un pigeon bagué s'est posé. Habitué à parler avec les oiseaux depuis Rouge-Neige, mon oiseau de Chine, je lui ai demandé ce qu'il faisait là. « Et toi ? » m'a-t-il répondu, et nous avons conversé.

Je lui ai parlé du plaisir que j'éprouve à être remonté sur un bateau, à naviguer avec Michel, à arriver en Amérique par la mer.

— Tu comprends, quand on recommence sa vie, on doit faire des choses un peu folles. Il faut se donner l'occasion d'être un peu un pionnier, comme je l'avais été en Chine, au Viêt-nam.

Je lui ai expliqué que c'était aussi la recherche de mon élément. Que mon corps, dans sa nouvelle situation, est fluide !

« Il y a quelques années, on me disait : « Ne traverse pas la rue, tu vas te faire écraser ! » Alors si je dis : « Je vais traverser l'Atlantique ! » que me répondra-t-on ? Tu vois, l'oiseau, c'est aussi par réaction que je fais tout ça. Les perdants d'avance, les pessimistes, ce sont eux les vrais handicapés. Moi, je suis différent, c'est tout. A moins que les Noirs, les Jaunes, les Rouges ne soient des handicapés !

« Je suis là parce que j'en avais assez, assez du racisme, assez qu'on me dise : "Ta place est là, elle est avec les morts, avec les grabataires, avec ceux qui passent à côté de la vie." J'ai dit non.

« Tu vois, l'oiseau, ce n'est pas seulement mon corps qui réclame cette traversée, c'est mon esprit qui veut traverser le miroir. »

Et puis Kif s'est rué sur l'oiseau. L'oiseau s'est enfui.

33°N 40°20W

Branle-bas de combat. L'homme de quart pénètre dans le rouf en criant : « Une fusée verte, là, sur bâbord ! » Michel monte le gros projecteur sur le toit de la cabine. On se parle à voix basse. Le faisceau balaye une vague noire ourlée de blanc. Toute notre attention se porte là, derrière cette vague noire, noire d'inconnu.

Quelqu'un a-t-il appelé ? D'où venait réellement cette fusée ? On cherche, on échafaude, on croit voir et entendre et sans doute espérer... On se prend à croire aux naufragés de l'histoire, au Hollandais volant.

Voilà qui a relancé la conversation, de quoi tenir jusqu'aux Bermudes.

33°40N 52°W

Ce bateau ressemble à mon fauteuil : petit au milieu de l'océan, fragile dans les coups de chien, mais libre de tailler sa route là où le vent le porte.

96

32°30N 64°W

Arrivés aux Bermudes, on ancre à côté de l'ancienne place des Supplices, puis tout le monde débarque et disparaît. Les plus aventureux iront jusqu'à la ville, les autres s'agglutineront dans un bar.

Moi, j'ai des fringales de route, de sentiers escarpés. Mon fauteuil, bien que rouillé par la mer, attaque l'asphalte brûlant. Malgré une chaleur exagérée, je fais trimer ma carcasse en haut de la côte. Je ressens une douleur dans les épaules. Elle est bonne, cette douleur, et, si j'ai maigri d'au moins dix kilos, j'ai encore assez de forces pour libérer ma roue prise dans une ornière.

Michel a refait le plein de mazout, pressé d'arriver à New York. Tout le monde a repris sa place ; dans une semaine nous y serons, si les vents sont favorables.

Certains commencent déjà à parler de ce qu'ils feront ensuite. On s'attaque à l'Amérique sans la connaître, aussi devient-elle une caricature. On se dispute un peu et puis on se réconcilie autour du baril de rouge dont le niveau a considérablement baissé. Il n'y a plus de fruits ni de pain mais rien n'arrête l'imagination culinaire de Michel, qui mélange presque tous les restes et vous sert des soupes à faire pâlir d'envie un grand chef.

36°N 68°W

Michel a capté la radio canadienne et américaine : Tabarly a gagné. Champagne !

Colas serait disqualifié pour avoir fait escale à Terre-Neuve. Personne ne prend parti. Ces hommes-là se sont battus contre un chrono, nous pas. Le temps que l'on met à traverser le grand océan nous importe peu ; certains même aimeraient faire traîner le vent parce que demain est là qui ressemble à pas grand-chose, avec une odeur sans odeur de paperasse ou de métro.

40°N 71°W

Aujourd'hui c'est le 4 juillet ; on a raté la parade du bicentenaire. On est en retard comme les cancres de la mer. Les flonflons, ce ne sera pas pour nous.

6 juillet au matin

Tout le monde est posté dans les vergues. Moi sur le taud. Soudain mon ventre se tord, se met à vouloir dégorger tous les virus de l'Asie. Je vais à nouveau me vider mais, après trente jours entre les étoiles et la mer, apercevant enfin cette ville posée au loin, je ne voudrais pour rien au monde « rater mon entrée ». Michel descend dans les cabines et remonte avec mes toilettes de camping et mon seau. Je m'assieds dessus.

Toutes voiles dehors, nous entrons dans le port de New York. Des hélicoptères viennent nous saluer puis décrochent comme des insectes. Des mains s'agitent sur les ferries. J'assiste à tout ça assis sur mon seau... Long Island... Coney Island... la statue de la Liberté baignée de lumière... sur mon seau... La ville rougeoie comme une forge... Voilà le Nouveau Monde... En me tenant le ventre, je salue l'Amérique !

IV
Au cœur du cœur

Sur les quais noirs de monde je vais mon chemin, mal à l'aise sur le sol crasseux. On parle toutes les langues ; on se fait photographier devant les bateaux. Dans quelques jours, Michel partira vers Newport, la Gaspésie, à l'extrême pointe du Québec, et descendra le Saint-Laurent jusqu'à Montréal. Moi, je filerai tout de suite au Canada pour essayer de couvrir les Jeux olympiques.

Mais avant cela je prends une chambre dans un hôtel dominant les quais. Je me glisse dans un bain qui semble ne jamais devoir finir ; je verse un flacon entier de shampooing sur ma tignasse pour la démêler et jongle avec mon rasoir qui patine dans la barbe. Je garde juste ma moustache et mes cheveux longs. Ensuite...

Ensuite ma première nuit dans un vrai lit propre est un calvaire. Je me retourne dans tous les sens, les draps sont trop propres, trop doux — mais pourquoi cette chambre ne bouge-t-elle pas ? —, je cherche le balancement de la vague.

Le lendemain, je fais mes adieux à Michel que je retrouverai dans deux semaines à Montréal.

Un article particulièrement judicieux du règlement intérieur de la compagnie Air Canada interdit aux gens dits handicapés de voyager seuls. Aussi refuse-t-elle de m'embarquer. Je proteste, je crie mon tour du monde, la Transat, mais rien n'y fait ; je rentre dans une fureur noire et rate mon avion.

Une compagnie américaine, elle, m'embarque, mais je devrai m'asseoir sur une couverture qui pourra en cas de crash servir de gigantesque baluchon (de linge sale). Ainsi ficelé aux quatre coins, on pourra me porter, me ballotter, me secouer, me balancer, me trimbaler, etc. En plus du manque total d'efficacité de cette technique, la couverture (on est en plein été et je suis en chemisette) me gratte épouvantablement. C'était sûrement plus confortable dans la soute ; la prochaine fois je demanderai une niche.

A l'aéroport de Mirabel, Suzanne Sauvage, une amie québécoise de longue date, m'attend. C'est la seule personne que je connaisse ici. Grande et pleine de charme, elle semble très préoccupée par ces Jeux qui commenceront dans une semaine. En quelques minutes, elle me raconte tout des mille problèmes dont les plus importants sont les grèves qui ont arrêté la construction de la flèche du stade,

100

les installations qui ne sont pas encore terminées et les cinquante ans d'impôts supplémentaires que ces trois semaines de Jeux coûteront aux Québécois.

Puis elle me dépose dans un hôtel de la rue Crescent en attendant de me trouver un logement.

J'entre tout de suite en contact avec le comité d'organisation des Jeux afin de retirer mes cartes et laissez-passer. Je me recommande de mon agence photo et prends rendez-vous.

Persuadé que tout s'arrangera rapidement et facilement, je pénètre dans les bureaux du complexe Desjardin — immense bâtisse creusée de galeries souterraines, de boutiques et de salles de conférence —, je longe une queue interminable de gens que je regarde à peine, et continue de rouler en direction du service de presse. Après des mètres et des mètres j'en découvre enfin la porte : juste en tête de la queue ! Ils sont huit mille correspondants à être venus, et ceux-là qui attendent sont, comme moi, sans accréditation.

Je retourne au bout de la queue ; j'y croise des photographes venus du monde entier, bardés de boîtiers motorisés, de téléobjectifs d'un mètre, de « 1 000 » en bandoulière. Certains portent des gilets-cartouchières pouvant contenir plusieurs dizaines de films. J'attends. Quelqu'un raconte que pour obtenir l'accréditation — cette lettre donnée par le Comité olympique et qui autorise un photographe professionnel à travailler — il ne suffit pas d'avoir sa carte de journaliste. Je ne suis même pas journaliste !

La jeune femme qui me reçoit dans le bureau du service de presse est un peu surprise lorsque, me demandant ma carte de presse et mes autorisations, je lui montre tout ce que je possède : deux petits appareils.

— Mais les accréditations sont closes depuis deux ans, me dit-elle, et il y a déjà en excédent deux cents photographes munis d'autorisation ! Pourquoi arrivez-vous maintenant, juste une semaine avant les Jeux ?

Pendant quelques secondes je suis décontenancé. Je ne peux tout de même pas lui raconter ma courte carrière de photographe ; puis j'attrape au bond sa dernière phrase :

— Si j'arrive maintenant, mademoiselle, si je suis tellement en retard, c'est que nous n'avons pas eu assez de vent !

— De vent ?

— Oui, de vent ! Il nous a manqué pour traverser l'Atlantique.

— Comment ? Vous avez traversé l'Atlantique à la voile sur votre « char » à roulettes ? Eh bien, dites donc, vous êtes drôlement chanceux d'être arrivé vivant !

Après quoi, levant les yeux vers le plafond, elle ajoute :

— Je ne vous promets rien, mais repassez demain. J'en parlerai au Comité olympique.

Quand je sors dans la rue Dorchester, le vent ébouriffe mes cheveux. Le vent ! le bon vent qui me pousse. Il est temps d'étarquer ma voile si je veux prendre de vitesse mes concurrents...

Il fait bon ce soir dans les ruelles de la place Jacques-Cartier. Ça danse, ça chante en grattant la guitare ; et cette odeur de « pot », de chanvre fumé, qui chavire les narines. Tous les immigrants se sont retrouvés là, en boubou, en blue-jean, en bonze, en n'importe qui et n'importe quoi ; les policiers eux-mêmes semblent déguisés.

Je flâne dans les ruelles, je laisse courir mes yeux et mes rêves sans direction, sans attaches, puis tard dans la nuit je me décide à rentrer.

Je fais signe à un taxi de l'autre côté de la rue.

— Vous allez où ?

— Rue Crescent.

— Vous êtes français ? ...

Dans le taxi nous commençons à parler. Albert est étudiant et, comme beaucoup d'étudiants au Canada, il fait le taxi après ses cours. Arrivés à la porte de l'hôtel, il ne nous reste plus que quelques détails à mettre encore en commun. L'amitié est faite.

— Demain, je t'emmène visiter la ville !

Le regard tendu vers la pile d'accréditations destinées à la corbeille, je tente de respirer lentement, de poser et calmer ma respiration. Faire celui qui a tout son temps. Diane, la jeune femme du service de presse, a pourtant remarqué mon avance. Je crois être arrivé avant elle.

Je repère les noms des photographes destinés à la corbeille : Afrique — Allemagne — Brésil — France... Voyons ça de plus près : « Bon sang ! Nick Weeler et Hervé Tardy, des copains de l'agence ! Et ils vont débarquer avec 30 kilos de matériel et 5 000 F de frais de voyage ! »

Diane me sourit :

— Vous êtes chanceux. Le Comité veut bien vous donner une carte de photographe et tous les laissez-passer pour le stade et le village.

Gagné ! Mais il faut aller plus loin.

— Diane, c'est formidable ce que vous avez fait pour moi et je vous remercie infiniment, mais j'ai deux copains, là, sur la liste des exclus. Ça serait une catastrophe pour eux !...

— Montrez-moi leurs noms, allez, je m'en occupe. Mais c'est bien parce que vous êtes venu à la voile !

(Un peu plus tard, dans le numéro de juin 1977 de *Reporter,* Hervé Tardy me remerciait en ces termes : « (...) C'est grâce à lui que nous avons pu couvrir ces Jeux olympiques que vous avez vécus avec nous. Car où serait cette maudite accréditation s'il n'avait eu le réflexe de penser à nous le jour où un employé modèle allait l'égarer ? »)

Cette jeune femme, Diane, qui m'a donné une aide inattendue, aussi bien qu'Albert, le chauffeur de taxi qui m'a promené au gré de mes désirs, ressemblent à des personnages de conte de fées. Des personnages de conte, j'en ai si souvent rencontré ! Il suffit souvent de quelques mots pour ouvrir un trésor. Pendant mon séjour à Montréal, je trouverai une pleine poignée de ces gens-là. Tels ces amis que je me suis faits à Tahiti lors de mon tour du monde : je tombe sur eux et ils m'invitent aussitôt dans leur chalet des Laurentides.

Au milieu des bois, entre la résine et la confiture d'érable, ils me parlent du Québec « ... avec ses rivières larges comme dix fois nos fleuves et l'or au milieu des cailloux qui a fait de ce pays une terre de chercheurs ». Et aussitôt surgit l'un de mes souvenirs : ma sœur et moi, étant enfants, l'hiver venu dans nos collines de Champagne, nous attachions à notre chien une luge sur laquelle nous avions posé des friandises, une pelle, un canif et nous allions jouer au trappeur. Dans la faible épaisseur de neige nous cherchions des traces, parfois nous étions surpris par une empreinte de géant, celle d'un géant de Ti. Puis, soufflant sur nos doigts, nous repartions à l'aventure.

Ces amis auprès desquels je m'enquiers d'un gîte ont un nom prédestiné : ils s'appellent Cabane.

— Notre chalet des Laurentides, me disent-ils, est bien trop éloigné des stades, mais un parent à nous, un cousin, a une maison dans la banlieue nord de Montréal. Une maison « malheureusement avec des marches », mais vous pourriez habiter au sous-sol.

Le jour suivant, je m'installe dans le sous-sol du cousin, Michel Frutéro. Il me manque la vue sur le Saint-Laurent mais, en compensation, j'ai la gentillesse extraordinaire de mon hôte : apprenant mon arrivée, il a déjà fait installer un lit, une table, un petit coin toilette, le téléphone.

Ce premier soir, allongé sur mon lit, j'appelle le restaurant chinois situé à l'angle de la rue pour qu'il m'envoie un repas chaud. Je m'installe au milieu de skis d'enfant, de vieux journaux, de souvenirs en peluche. Je m'installe comme un clochard heureux tout au bas de cette grande maison, au bord d'un lampadaire, et j'attends mon repas de fête, comme à Pékin.

Je reçois celui-ci emballé dans des bols de carton : deux morceaux de Chine au pays du plastique, deux bols qui ignorent le bleu de la porcelaine comme un bestiaire de l'Antiquité dessiné au stylo à bille.

Je déplie la serviette de papier, froide et gaufrée et, dans le silence, je commence mon repas. La vapeur du bol de soupe couvre de buée mon visage. Au goût de la soupe, du riz et du soja s'ajoutent le goût de rencontres à jamais perdues, de mots rentrés, le parfum oublié de Pékin, ma ville endormie, quand tard dans la nuit je me serrais près d'un paravent en compagnie de quelques chauffeurs de taxi venus se réchauffer. En me réfugiant dans la Cité impériale, j'essaie d'oublier l'Amérique. Le temps s'étire sans serviettes chaudes, fumantes et parfumées, sans le sourire de la petite serveuse en col mao. Le temps du repas se termine dans mon grenier à l'envers.

Je n'ai même plus le courage d'éteindre la lampe. J'enfile l'un dans l'autre mes bols de carton comme de petites poupées russes qui enfantent à l'infini et m'endors contre le mur, — au pied de la Grande Muraille.

Michel, mon hôte, est rentré tôt le matin sans faire de bruit ; ensuite il a ouvert la porte du réfrigérateur. J'aime le bruit du morceau de beurre fondant dans la poêle. J'aime le sourire de cet homme qui réchauffe ses spaghettis. J'aime ce léger crépitement. La maison maintenant embaume l'oignon et le parmesan.

Pour les enfants je deviendrai un personnage de conte : « Dans le sous-sol vit un passager clandestin ! »

*
**

Le laissez-passer à la main, nous attendons à l'entrée du village olympique. La fouille est longue et l'atmosphère tendue. Chacun redoute la fusillade de Munich.

Pendant la conférence de presse tenue par la police, celle-ci nous a demandé de bien vouloir nous plier à certaines exigences, comme de démonter les téléobjectifs : des armes pourraient y être cachées (certains téléobjectifs font 1,50 m). Il paraîtrait aussi qu'une brigade de chiens a été spécialement entraînée à détecter les porteurs d'armes. Par la porte à demi ouverte, j'aperçois des soldats en armes et quelques athlètes échangeant des badges. Tout est encore calme. Les Jeux ne commenceront que dans quelques jours.

Ce village olympique n'a pas été dessiné pour moi : il y a des escaliers partout et l'ascenseur ne dessert pas tous les niveaux. Je guette en bas des marches ; je tourne en équilibre sur mes roues arrière à la recherche d'éventuels porteurs. Quelques athlètes flânent entre les bâtiments, les mains derrière le dos. Qu'à cela ne tienne ! J'en aperçois un, je l'appelle. A son accent, il doit être de l'Est. Je le recrute. Un autre passe, venant d'Afrique. Je le recrute. J'y ajoute deux autres flâneurs d'autres nationalités et nous voilà au travail dans le grand escalier de bois. Quatre porteurs, quatre pays, quatre langues !

Le soir même, l'*Associated Press* me contacte. Un photographe, à la recherche d'images, aurait fixé l'instant. Il désirerait savoir qui je suis car il veut en faire la manchette des journaux : « Geste symbolique de l'esprit olympique ! » Bien ! Je ne suis pas passé inaperçu. Le Turc, pourtant, aimerait bien recevoir lui aussi de telles images.

Je pars en quête de ces fameux chiens-détecteurs. Je monte et descends les allées du village, en vain. Je m'infiltre dans la chambre d'un athlète, je furète, je guette un aboiement : sur le lit un sac de toile, sous le lit un animal en peluche. Je visite une autre chambre, je ne sens aucun chien. Je sors dans le couloir et évite de justesse une équipe italienne qui fait la chasse aux hôtesses. Je change de couloir : des Allemands de l'Est qui se déplacent en formation serrée m'écrasent contre le mur.

Le soir, je sors mes premiers clichés de mes deux petits boîtiers. Mes « semflex à ressort », comme dit Alex. A la vue de l'équipement de mes confrères il est vrai que je me sens un peu ridicule. Nick et Hervé, de l'agence Sipa, sont arrivés aujourd'hui, bardés de matériel.

Et pourtant, comme Buster Keaton dans *Le Cameraman*, je suis là le jour de l'ouverture des Jeux, trois heures en avance et scrutant la foule. Cent cinquante mille personnes sont tassées sur les gradins ; moi, au premier rang, avec mon brassard de photographe.

La flamme est arrivée dans le stade, portée par une jeune fille et un jeune homme. Hissés aux mâts, les drapeaux de tous les pays flottent à tous les vents (mais gare aux vents de la politique qui déchirent les drapeaux, ceux qui les portent, et hissent les têtes aux mâts).

La délégation libanaise défile avec une grande banderole « Paix au Liban », les autres délégations se suivent sans exciter particulièrement mon œil de photographe sauf... un petit chapeau rond au milieu d'autres chapeaux ronds, celui de la princesse Anne qui sourit comme une écolière.

108

Maintenant que les Jeux sont ouverts, il va falloir se battre et, comme avec mon matériel je ne peux lutter à armes égales, il faudra chercher le vent, un vent pour moi.

Une lettre a été glissée sous la porte de mon sous-sol. Je l'ouvre. Ma présence, m'y dit-on, a été remarquée au village olympique (il est vrai qu'un reporter en fauteuil roulant ne peut passer inaperçu) et je suis convoqué sous les projecteurs de la télévision. Il s'agit d'une émission qui passe chaque jour entre 12 h et 12 h 30 sur le canal des Jeux et capte donc l'attention de millions de téléspectateurs. Pierre Salinger et le shah d'Iran étaient les invités d'hier. Mon Dieu ! avec qui vais-je partager le plateau ?

Dans le hall de Radio-Canada, je roule tranquillement quand une hôtesse s'empare de moi et me traîne dans une sorte de loge où une maquilleuse me poudre, peigne mes cheveux, me lustre sourcils et moustache, puis me conduit face à un miroir : je m'y vois figé dans une sorte de masque. Derrière moi une forte femme, avec un très beau visage, vient me saluer : c'est Lyse Paillette, l'animatrice et réalisatrice de l'émission. On me l'a décrite grosse, je lui trouve des gestes ronds et gracieux. On m'a dit aussi qu'avec son intelligence et son humour tranchant elle était redoutable. Qu'elle me poserait une foule de questions pièges.

Je me risque à lui demander qui est l'autre invité.

— Personne ! Vous avez sûrement plus de choses à dire que les autres !

Je n'ai pas l'impression d'aller à la guerre, je n'essaie

pas non plus d'aiguiser mes mots, je ne sens aucune embuscade tandis que je pénètre sur le plateau fortement éclairé. Il y a là une table, deux micros et Lyse Paillette. Lyse me sourit puis regarde la lampe rouge qui vient de s'allumer.

Face aux millions de téléspectateurs, elle me dit :

— Vous n'avez pas honte de venir ici avec un fauteuil aussi rouillé ?

Une question franche, provocante, et qui appelle une réponse simple, tout aussi provocante :

— Je viens de traverser l'Atlantique à la voile. C'est le sel de mer, l'air de la mer qui ont rouillé mon fauteuil.

— Vous n'avez pas eu peur ? Vous recommenceriez ?

— Oui, peut-être...

— Seul ?

— Pourquoi pas ?

Oh ! je vois, vous pensez que là aussi il me reste encore à prouver que je suis comme les autres, avec plus de force, plus de volonté, plus de folie. Eh bien non, je n'ai rien à prouver ; ce que je cherche est ailleurs, au-delà des records, au-delà des médailles, quelque part à la limite du rayon vert, en quête peut-être d'un oiseau seul au milieu de l'océan... Non, on n'est jamais seul en mer : il y a tout un monde en dessus, et surtout en dedans.

Le gros de la vague s'est apaisé, l'eau est devenue calme. Pendant une demi-heure je raconte mon tour du monde, mes reportages. Lyse m'a pris la main pour me donner confiance, mais au fond de moi je me sens fort et léger. Grâce sans doute à tous ces mots d'azur et d'iode que j'ai prononcés, que j'ai déchargés sur le rivage des

110

Policiers dans la gare de Soutcheou.
Ballet du 1er mai à Pékin, 1978.

Page suivante :
Chinatown à New York.

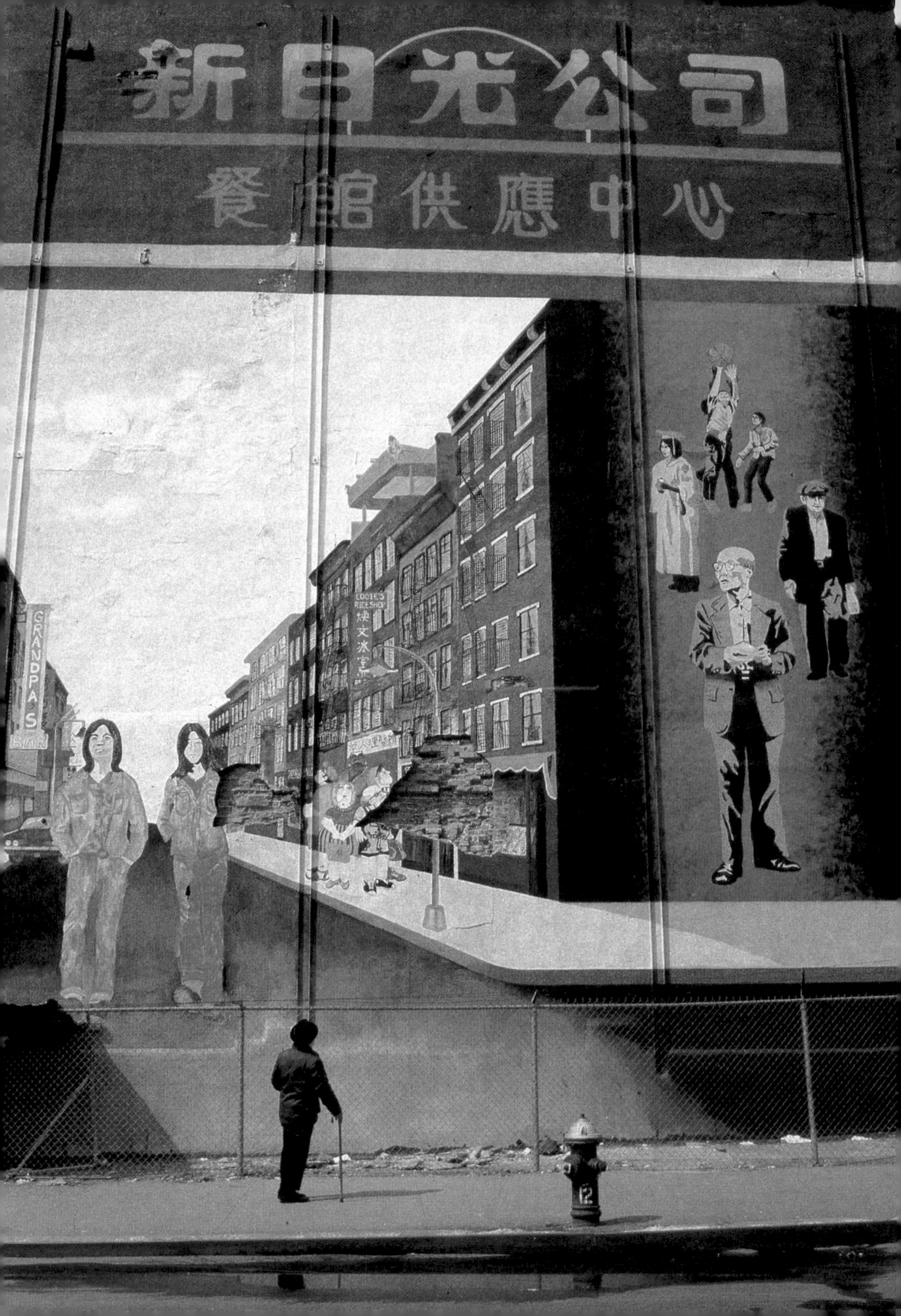
新日光公司
餐館供應中心
GRANDPA'S
BAR
EDDIE'S
RICE SHOP

hommes. Puis, en me quittant, elle me remet une médaille d'or frappée pour les Jeux olympiques. La richesse tient à peu de chose : une main, un sourire, un geste.

Lors de la conférence de presse pour les photographes, on nous annonce que les Américains et les Allemands ont acheté les places situées au bord de la piste. Ils ont aussi accaparé les aires de saut et de lancer. Ainsi ce puissant « pool » de photographes pourra-t-il travailler dans les meilleures conditions tandis que nous, pauvres « démonétisés », devrons nous contenter du bout des gradins... et d'un téléobjectif.

La colère gronde. Tout de suite on se réunit — conseil de guerre entre les représentants des agences et des différents journaux. C'est décidé, on fera le forcing.

La chance, ou le vent, me poursuit. Au service de presse un message m'attend : « Passez le plus tôt possible à la maison Canon. » C'est cette maison qui fournit en matériel certains photographes des Jeux. Je fonce au labo-photo : une gigantesque maison préfabriquée, installée dans un parc et capable de développer en quelques heures des centaines et des centaines de films. Un responsable est là, qui me propose aussitôt un boîtier à moteur et deux focales, l'une de 200 et l'autre de 400. La dimension idéale pour travailler au « bord » de la piste. J'obtiens également un lot de pellicules et, suprême cadeau, une boucle de ceinturon représentant un appareil-photo !

Rentré dans mon sous-sol, j'épingle au mur l'immense programme des festivités et je prépare mon plan. D'abord l'athlétisme, puis le judo et... la natation. Mais il me faudra un moyen de transport pour aller d'un stade à l'autre ! Je décroche le téléphone et appelle mon équipe de choc : Diane, Suzanne et Danielle Sauvage. La réponse ne tarde pas. Grâce à leur gentillesse doublée d'une très grande efficacité, elles obtiennent du Comité olympique une voiture et un chauffeur pour toute la durée des Jeux. Vingt-quatre heures sur vingt-quatre.

Ces soudaines facilités matérielles, de bons appareils et un moyen de transport me confortent dans mon enthousiasme. Il ne reste plus qu'à se bien placer.

Aux premières heures je musarde donc dans les sous-sols du stade afin d'obtenir un ticket permettant l'accès aux places normalement réservées au « pool » américano-allemand. Puis je rejoins les Français tirant sur leur gauloise en haut des gradins...

Pendant les séries, je me contente de faire mes réglages. Je joue comme un enfant avec le 400, le 200, laissant mes vieux boîtiers au fond du sac. Nous sommes tous réunis comme pour une photo de fin d'année. C'est-à-dire que, suivant le numéro d'emplacement, les premiers sont à genoux, ceux de derrière assis, et le dernier rang debout. Or, le « pool » américano-allemand, ayant réussi grâce à une meilleure combine à être devant, sur le bord de la piste, se trouve naturellement « au bord de l'événement ». Mais surtout, dès que l'événement se produit, l'ensemble du « pool » se lève. Derrière eux, les Français et les autres ne peuvent plus prendre la moindre photo.

Deux fois, trois fois, et c'est la bagarre, la levée en masse des Français. Ça se bat comme des chiffonniers à

112

coups de boîtiers sur la tête. Dans la mêlée, un type s'accroche à mon fauteuil, un autre me bouscule. Je le prends à la ceinture et le tire en arrière. Il se relève, agressif, se précipite sur moi, la main levée à hauteur de ma tête, prêt à frapper, découvrant son flanc, juste ce qu'il faut pour lancer un *tsuki* bien tendu, un peu fouetté en fin de course, un coup qui fait mal à vous en brouiller la vue. Son bras reste un instant en l'air et, comme une poupée de caoutchouc, il s'agenouille, définitivement calmé. Enfin la police montée canadienne arrive, découvre le nœud de la bagarre et la démêle peu à peu jusqu'à l'ordre total. Quelques Allemands sont emmenés en prison d'où ils ne ressortiront qu'après avoir payé une caution importante.

Quant à moi, me voici en train de travailler aux côtés de Co Rentmeister, que j'ai rencontré lors d'un dîner chez les sœurs Sauvage. Co Rentmeister est l'un des plus grands photographes de sport du monde et l'envoyé spécial de *Sport Illustrated*. Auprès de lui j'apprends énormément. Il opère avec un 800 mm ouvrant à 3,5 — il a une optique de plusieurs dizaines de kilos qu'il doit faire porter par un aide. Je suis rivé à ses yeux, à ses mains ; il cadre, pousse la pellicule pour capter la lumière... Tout au long de ces Jeux je me retrouverai à côté de lui ; souvent c'est Co lui-même qui viendra me rejoindre.

La journée passe ainsi à « mitrailler » et la nuit commence à tomber. Je suis remonté dans les gradins. Soudain j'aperçois à quelques mètres Mick Jagger et sa femme Bianca. Je me retourne ; personne parmi les gens de la presse n'a encore remarqué leur présence, je suis seul sur le coup. Je cadre, hauteur, largeur, portrait au

200 mm, couleur, noir et blanc : un vrai travail de professionnel. Je fonce au labo faire développer mes films et j'attends. S'ils sont bons, je les ferai partir par fret aérien, même si ça doit me coûter 60 dollars.

L'homme du labo-couleur me donne mes films. Ils ne sont pas encore montés et forment un long ruban. Là, sur la gélatine, je regarde mes quatre portraits de Mick et Bianca : superbes ! Dans mon rêve se superpose aux visages de Mick et Bianca celui, ravi, du Turc : ses lèvres élargies par un sourire, ses yeux comme des agates. Ma vie de photographe commence à prendre un sens. Avant ces Jeux j'étais encore un peu considéré comme un marginal, un individu hybride, un handicapé-photographe, ou mieux un photographe-handicapé mais pas un vrai, libre, sans trait d'union.

C'est alors que s'approche de moi Frederico, un jeune photographe brésilien que j'avais rencontré à la fin de mon tour du monde. C'est grâce à lui que j'avais pu connaître Rio. Il s'était montré d'une grande modestie malgré son titre de grand reporter au journal *Manchete*.

Il regarde mes clichés.

— Bon Dieu ! Où as-tu fait ça ? C'est super.

— Elles te plaisent ?

— Super, je te dis !

— Va me chercher une paire de ciseaux. Moitié-moitié, Frederico, je te les offre.

Quand il fait trop froid dans le stade, je vais à la piscine. J'y suis trop loin pour « shooter » correctement, mais la

114

petite jeune fille qui me donne ma place pose sur moi de grands yeux verts qui me réchauffent. Elle m'attend là chaque jour. Elle vaut la plus belle des finales olympiques.

**
*

Michel, mon hôte, vient souvent me retrouver dans mon sous-sol. Il apporte une bouteille de pastis et me parle de l'Italie. Une province du soleil d'où il a émigré pour vivre ici. Un peu plus tard dans la nuit, il me reparle de son club de boulistes qu'il a fondé avec d'autres.

— Tiens, notre club s'est mis en rapport avec le pénitencier Leclerc. On va jouer avec eux demain. Il y a des taulards, paraît-il, drôlement forts. Ils font aussi beaucoup de sport. Il y en a même un qui est sélectionné pour les Jeux en haltérophilie. Tu te rends compte ? Il va sortir juste pour les compétitions. Ensuite il regagnera la prison.

Bon sang ! Tout net, sans eau, servi sec dans ma main, mon *scoop* est là ! Je ferai les photos du taulard, l'interviewerai dans la prison puis à l'entraînement et ensuite dans le stade. Je vois déjà sur les couvertures de magazines : « Le taulard médaillé d'or », avec hymne national, félicitations et embrassades, puis retour entre deux gardiens derrière les barreaux.

— Michel, peux-tu me faire entrer au pénitencier ?

— T'en fais pas, Patrick, je m'en occupe.

Le lendemain, à trois heures de l'après-midi, nous longeons le grillage barbelé d'une bâtisse ultramoderne, puis nous nous retrouvons devant le bureau des gardiens. On nous fouille comme à l'entrée d'un stade olympique et on nous fait pénétrer dans une salle d'attente où le responsable du pénitencier vient nous rejoindre.

Mais le voici qui m'aperçoit et me tend sa grande « menotte » :

— Bonjour, monsieur Patrick Segal, comment allez-vous ?

Michel et ses copains me regardent, suffoqués. Avec un air de flagrant délit, je leur balance une excuse :

— J'ai... déjà séjourné ici !

De fait, les uns après les autres, les gardiens me reconnaissent et viennent me serrer la main.

Les copains de Michel me regardent en silence... Enfin Michel éclate de rire : il lui aura tout de même fallu une bonne minute pour faire le rapprochement avec l'émission de Lyse Paillette !

C'est bon, le responsable est de mon côté. Il ne me reste plus qu'à ouvrir l'œil. L'intérieur du pénitencier me rappelle le collège où j'étais pensionnaire. Sauf qu'il y a ici un stade pour le hockey, le foot, le basket et l'haltérophilie.

Nous traversons une allée bordée d'appareils de musculation sous lesquels des hercules couverts de cicatrices et de tatouages s'entraînent. Je cherche mon athlète mais je me tais. Mieux vaut attendre avant de poser des questions.

Nous arrivons sur le terrain de boules. Des groupes se forment autour de nous. Puis, tout doucement, sans avoir l'air de rien et sans trop faire crisser mes pneus, je me rapproche des haltérophiles. En haut d'une montagne de

116

muscles, une bouche se tord, se contracte et hurle. La barre se plie légèrement, il y a bien deux cents kilos. Si c'était mon champion ?

— Ça t'intéresse, l'haltéro ? me demande un grand gaillard à la barbe grise.

— Oui, plutôt. Ça doit être un champion, ce type-là !

— Lui ? Ouais, pas mal ! Mais l'autre...

— Ah bon ! Qui c'est l'autre ?

— Une bête. Une bête de puissance.

— Et il s'entraîne pas avec les autres ?

— Ben... en ce moment, il s'entraîne plus tellement.

— Hé ! raconte-moi un peu.

— Il est mort.

— Quoi ! mort ?

— Il les aurait tous battus si on lui avait pas fait la peau.

— Mais raconte-moi ! Comment c'est arrivé ?

— Ben, il est sorti ce matin pour aller à l'entraînement et puis il s'est fait descendre. Un règlement de comptes. Les gardiens qui le surveillaient n'ont pas eu le temps de dégainer. Il les aurait tous plantés, les champions. T'imagines un peu, petit ? Un taulard champion olympique ! On aurait été un peu fiers, nous autres. On est, paraît-il, que de la pourriture ; y'z'auraient vu qu'il y a pas de pourriture dans nos muscles. Tiens, moi, par exemple...

Et il me raconte comment il a tué sa femme. Il ne savait pas qu'il la tuait. Il avait bu, comment pouvait-il savoir ? Il s'en souvenait à peine. C'était pas sa vraie faute, il savait pas ce qu'il faisait, c'était l'alcool. Et puis il m'explique combien il transpirait en travaillant dans le bois.

C'est la transpiration qui le faisait boire. C'est le boulot qui le forçait à boire. « Et puis la bière c'est bon, très bon et c'est la seule chose qu'on donnait pendant le boulot, là-haut, dans le bois. »

Voilà un fameux *scoop* qui me file entre les doigts. Tant pis, je vais sortir un boîtier et faire quelques images. Mais je n'ai pas le temps de dégainer, un gardien a déjà fondu sur moi.

— Non, monsieur, c'est interdit !

— Juste une photo pour le souvenir !

— Non, monsieur, il faut faire une demande écrite auprès du directeur.

Je reviens près des boulistes ; peut-être que là, dans le groupe, j'aurai plus de chance. Un monsieur très distingué, regard clair, chaussé de lunettes à monture fine, me rejoint. A son parler, on devine un enseignant ou un éducateur. Est-ce le psychologue du pénitencier ?

— Et vous, monsieur, que faites-vous ici ?

— Oh ! pas grand-chose.

— Mais quoi encore ?

— Je travaille à la lingerie.

— A la lingerie ?

— Oui, tous les mois on nous fait changer d'activité...

Un autre garçon, un peu chétif, accompagné d'un solide gaillard, vient me trouver :

— Tu parles espagnol ?

— Oui, un peu.

— Mon copain ne parle ni français ni anglais. Il ne peut parler avec personne ici. On se comprend juste par gestes, c'est tout. Tu peux parler un moment avec lui ?

118

En quelques minutes il me raconte son enfance dans un bidonville de Mexico, son adolescence et les bagnoles volées pour arriver au Canada. « Pour y gagner de l'or », comme on disait chez lui.

— Tu vois, me dit-il, je changerais bien ta peau contre la mienne. Je suis prêt à sauter dans ton fauteuil pour foutre le camp d'ici. Tu sais, la prison, c'est terrible, avec ou sans stade, avec des rideaux ou pas aux barreaux. Jamais de femmes, jamais d'affection, jamais personne à qui parler. Pas d'odeurs, pas de piments comme dans ma bonne cuisine mexicaine. Toujours des patates et du sirop d'érable. Je veux pas te faire de la peine, parce que toi tu peux comprendre ce que c'est que la prison, mais tout de suite j'échange avec toi.

*
**

Au-delà des chronos, des performances, des cris de victoire, des bras qui se lèvent, du regard un peu froid, du regard d'argile du géant cubain Juan Torena, au-delà du sourire amer de l'Américain Dwight Stones, il y a la grâce, la légèreté, le feu de l'âme qui fait bondir, tourner, virevolter les cœurs : la reine des Jeux, la petite Nadia Comaneci.

Pour la finale des exercices libres, je me suis placé dans l'axe des barres asymétriques, juste ce qu'il faut pour le 200 mm ; une femme d'un certain âge s'approche de moi en souriant :

— Puis-je me mettre près de vous pour travailler ?

Dites-moi quelle optique vous utilisez afin que je ne rentre pas dans votre champ visuel. Surtout dites-moi bien si je rentre dans votre champ !

Qui est-elle ? Son visage ne m'est pas inconnu. En tout cas elle est très courtoise ; je dirais très « vieille Allemagne », vu son accent.

Les ténors de la plaque sensible défilent devant elle pour la saluer.

— Madame Riefenstahl, juste une photo.

Leni Riefenstahl ! Quelques images sinistres battent des ailes dans mon souvenir : l'égérie du nazisme, la cinéaste des Jeux de Berlin 1936, l'envol des pigeons, les oriflammes, la main refusée de Hitler au Noir Jess Owens. Un horrible morceau de l'histoire s'est enfermé dans la boîte à images de cette septuagénaire.

Que nous travaillions ensemble me paraît un juste retour des choses, un bon retour aux choses humaines. En 1936, côte à côte... non, jamais en 1936 nous n'aurions pu travailler côte à côte. Et puis Leni Riefenstahl est passée elle aussi dans les prisons et, avec le temps, la photographe du nazisme est devenue une véritable et grande artiste. Je me souviens de ce que disait Rubinstein retournant en Allemagne après la guerre : « Ce n'est pas en entretenant la haine que les hommes découvriront l'amour. »

Mais la fée Comaneci arrive et les pigeons de Berlin ne sont plus que de petites bulles noires qui éclatent au plafond.

Les souffles restent dans les poitrines, les doigts en suspens sur les déclencheurs ; il n'y a plus un souffle dans

120

l'immense forum, comme si l'on craignait qu'un souffle la déséquilibrât. La fée vole dans les airs, rattrape la barre souple, se relance d'un coup de reins puis pirouette, tourne comme une balle et se réceptionne comme si elle naissait subitement, magiquement, sur la terre.

Tandis qu'Olga Korbut pleure dans son coin son trône perdu, une volée de photographes papillonne autour de la fée. Elle ne peut plus faire un mètre sans qu'il y ait cinquante boîtiers agglutinés sur elle. Son merveilleux sourire s'allume et s'éteint à l'infini sous les milliers de flashes du stade archi-comble. Non, la cheville blessée d'Olga Korbut ne peut être une excuse. Peut-on se battre contre une fée ?

Tandis que huit mille correspondants de presse téléphonent, télexent, écrivent, enregistrent, cavalent sur les traces de la vedette du moment, je m'enquiers de Paris. Aucune nouvelle. Le Turc est débordé et ne peut ni téléphoner ni envoyer de télex. Je ne sais toujours pas si mes « Frago[1] » de Mick Jagger ont été utilisés.

Dans le village, je rencontre Guy Drut. Il est le super-favori du 110 mètres haies. Nous bavardons un peu. Il me semble très nerveux ; il redoute Casanas, Milburn et cette petite douleur à la cuisse. Je lui demande si je peux le prendre à l'entraînement. Guy accepte. Je serai le seul photographe et j'ai la sensation de préparer sa victoire. Je lui dis combien j'aurai de plaisir à le filmer en action car

---

1. « Fragonard ».

je courais moi-même les haies, lorsque j'avais quinze ans, au stade de Reims.

Pendant ce temps, Michel a remonté le Saint-Laurent jusqu'à Montréal avec ses deux bateaux, le *Rara Avis* et le *Bel-Espoir*. Je vais avec la voiture du Comité olympique jusqu'au quai. Six mètres en contrebas me séparent du *Rara Avis*, je le regarde, j'avance la main comme pour toucher le mât où Michel a dressé le pavillon breton. Michel a vu mon signe. Il grimpe sur le quai, empoigne un « bout » qu'il passe autour d'un mât et dans une poulie, attache avec une corde mon fauteuil aux quatre coins et tire : ficelé au fauteuil, je me balance dans les airs, un peu comme une caisse que l'on charge sur un cargo.

Sur le pont je retrouve les odeurs habituelles de soupe. Là-haut, le pavillon breton semble s'ébattre comme une hirondelle de mer. Michel a remarqué ma voiture officielle, aussi se moque-t-il de moi. « Mais qu'aurais-je fait, Michel, sans le concours de mes amis québécois ? » Puis il me raconte la remontée du Saint-Laurent, l'accueil des foules en Gaspésie et tout le long du fleuve. Il me parle aussi de ses nouveaux passagers. Nos paroles se poussent, s'égarent, se retrouvent... Ah oui ! de nouveaux passagers, dont l'un, pseudo-écologiste, est décidé à planter un jardin flottant sur le pont du *Rara Avis*. Mais pas un jardin à la française, à l'anglaise ou à la japonaise : un jardin de pavots ou de chanvre plein de senteurs hallucinogènes. En riant je l'imagine en train de moudre quelques grains de

122

pavot sur la soupe du soir, d'ajouter un soupçon de chanvre indien... Mais nos paroles et nos mains doivent se séparer. On me décharge sur le quai où je roule en direction de ma voiture « officielle ». Demain, Michel appareillera avec ses nouveaux clients pour Terre-Neuve et Brest.

Mon fauteuil, lui, n'a rien d'officiel ni de royal. Il donne même des signes évidents d'affaiblissement, tant esthétique que mécanique (il est vrai qu'à bord les membres de l'équipage s'en servaient pour porter les gros sacs de voiles, plus quelques courses de formule 1 revues et corrigées). Quatre années d'utilisation sur toutes les routes du monde, le baptême de la glaise dans les rizières, les chemins creux de la Cordillère et le sel de l'Atlantique : nous en aurons fait du chemin tous les deux ! Le contrat parfait à 50/50, comme en photo. Nous ferons encore quelques tours de roues et je le laisserai en paix. Au fond de moi je dis : « Et je *te* laisserai en paix. » C'est sottement sentimental sans doute. Mais qui comprendra le lien qui m'a uni à ce fauteuil ? Plus tard, quand je retournerai en Californie, je l'abandonnerai à un hôpital qui le retapera. Il terminera là sa route. S'il ne bouge pas trop, il en aura encore pour quelque temps.

A rester assis pendant des heures, parfois sous la pluie, mon escarre ne s'est pas améliorée. J'ai beau mettre une compresse circulaire en mousse, m'enduire de pommade à la xylocaïne, rien n'y fait. La croûte qui s'est formée le matin se déchire après quelque temps sur le coussin de mousse. Après les Jeux, j'irai m'allonger une semaine ou deux pour cicatriser tout ça.

Encore quelques jours et la fête sera finie. La fatigue se lit sur le visage des organisateurs sans cesse harcelés par les journalistes. « Tenir encore quelques heures, tenir encore et ensuite nous nous reposerons près du fleuve ou dans l'île d'Orléans », semblent-ils espérer avec leurs cernes, leurs pieds, leurs nerfs à bout de patience. Au milieu de la grande salle de presse enfumée, je croise des reporters écroulés de fatigue.

Patience ! Le Turc reste silencieux à mes appels, Nick Weeler a fait la couverture de *L'Express*. Et moi ?

Pour la finale du 110 mètres haies, j'ai obtenu une place dans les gradins, un peu en biais. Mon boîtier motorisé suit Guy Drut, jusqu'au cassé du buste sur le fil. Silence, suspense... Drut ? ... Casanas ? ... tout le monde attend... Drut, peut-être ? Le panneau s'allume. Guy Drut, médaille d'or, crie, lève les bras au ciel. Bon Dieu ! j'aurai peut-être mes photos dans la presse française ce soir.

Du marathon je ne garderai que quelques images saccadées, comme le souffle qui cogne dans le creux de la poitrine.

La pluie salue le vainqueur des 42 km. Il fait couler dans sa bouche le jus d'une éponge un peu sale.

A quoi a-t-il pensé pendant tout ce temps ?

Malgré les années, je me souviens bien du choc de chaque foulée et de la fatigue qui alourdit les cuisses.

Je pense parfois encore au traitement chinois qui aurait pu changer le cours de cette nouvelle vie. Des années d'aiguilles enfoncées patiemment tous les jours dans les

124

points fictifs et puis, après tout ce temps, la guérison : le premier pas et encore un autre, la première foulée, heurtée, hésitante, qui s'affermit de jour en jour. Dix ans à ne voir que ses progrès et son nombril. Dix ans face au miroir, pour bondir et se perdre dans la rue en criant : « Qui suis-je ? » Voilà ce que j'aurais peut-être fait si la guérison m'avait touché. Je serais peut-être là sur les routes du mont Royal, crevant à chaque pas les ampoules de mes pieds, hurlant en silence sous cette pluie imbécile.

Maintenant, si je guérissais, je ferais gronder mon sang jusqu'à l'entrée du stade et là, devant cent cinquante mille spectateurs, j'irais éclater mon cœur pour me libérer de cette peau. Oui, je courrais jusqu'à en mourir pour retrouver ma liberté, mes idées neuves, ma ville perdue sous le lagon, mes silences en dehors du temps.

Ce coureur de marathon n'est qu'un pantin, et moi, j'ai failli lui ressembler en cherchant la guérison. Encore une année, deux, dix, cent — pourquoi pas ? Encore un effort et tu marcheras ! Tu feras pipi tout seul et tu jouiras en faisant l'amour. Mais ils n'ont pas compris que la liberté est dans ma tête. Ils n'ont pas compris, ces vendeurs de guérison, que nous n'avons plus les pieds sur terre et qu'il ne nous importe pas d'être « virils » pour jouir. Que nous importe de pénétrer, de dominer quand la tendresse est ailleurs ?

Que venez-vous déranger mon Eden avec vos mirages ! Où me conduiraient donc mes jambes ? Au champ d'honneur peut-être, pour y cueillir des médailles. Au boulot pour marquer la cadence. Et si j'en avais quatre, de jambes, au cimetière d'Asnières parmi les chiens.

Le coureur vient de s'écrouler dans une flaque d'eau. Il bave, vomit, ses yeux se révulsent. Il fait dans sa culotte, le beau médaillé olympique, comme le beau médaillé du Viêt-nam agonisant dans une mare de sang et d'excréments. Il n'a plus qu'à se moucher dans son drapeau et à ramper jusqu'aux honneurs.

Je n'ai pas envie de rire, ni d'applaudir ces martyrs déformés par la douleur car, moi aussi, j'ai couru au cul de la vie sans comprendre qu'elle était là, en dedans : ni dans les muscles, ni dans les couilles, mais plus au fond, derrière les tripes, au point de convergence de toutes les énergies, au cœur du Hara, au cœur du cœur.

Arnie Bold, recordman du monde (1,86 m) et champion
des Jeux paraolympiques de Toronto 1976,
catégorie amputés.

Epreuve de tir
à l'arc.
Jeux paraolympiques
de Toronto.

Jeux paraolympiques
de Toronto,
catégorie
tétraplégiques.
Le champion du lancer
de massue.

V

Le grand bond

On range les survêtements et les chronos. On se pare et se bichonne le cœur pour la cérémonie de clôture.

Venues du fond de l'histoire, au son des tambours de guerre, les tribus indiennes font leur apparition dans le stade. Lentement, lourdement, comme pour réveiller l'ancien grondement des bisons, quand leur terre avait encore une âme. Puis des tipis gigantesques sont montés en un tour de main, en un souffle, comme des montgolfières. La pelouse ressemble à une mer de plumes, de cuirs fauves, de hampes enrubannées sur laquelle douze mille athlètes sont rassemblés. (Moins les Africains retournés chez eux en signe de protestation contre la Nouvelle-Zélande et l'Afrique du Sud.)

Sur un grand panneau lumineux apparaissent les images de Moscou, le prochain rendez-vous de 1980.

Quelqu'un me met dans la main une bougie remplie d'un liquide vert phosphorescent et, peu à peu, les lumières s'éteignent dans le stade. Devant moi, derrière moi, autour de moi, sur fond de tambour, cent cinquante mille bougies sont allumées. Ce spectacle, le plus éblouissant que j'aie jamais vu, me donne le frisson. Cette marche de l'histoire du peuple indien noue la gorge et arrache des larmes.

Un joueur de trompette, seul au pied de la flamme, lance un appel, comme le joueur d'Hamelin entraînant au son de sa flûte les enfants de la cité, puis la flamme diminue et disparaît : cette flamme qui, grandeur et modestie de ces jeux, fut noyée un matin par les pluies torrentielles et rallumée sans protocole par un gardien du stade. Il suffisait d'une échelle, d'un bout de journal roulé en forme de torche et d'un briquet laissant échapper une petite flamme joyeuse pour que la fête recommence.

Un long murmure. Le drapeau olympique est descendu et promené autour de la piste.

Finis les clans ? Finies les classes ? Finies les races ? Finies les frontières ? La pelouse est envahie par les spectateurs qui courent, sautent, dansent sur la cendrée. Les athlètes échangent leurs chapeaux, leurs vestes, leurs drapeaux. Ils oublient hier et ses longues heures d'entraînement. Ils oublient que, demain, d'autres plus jeunes ou plus forts seront au rendez-vous de la flamme olympique.

La grande fête est finie. Dans le stade inondé, un jardinier rebouche les trous creusés par les sabots du concours hippique, la dernière épreuve des Jeux. Dans le village on fait le compte des médailles, on s'apprête à refranchir un rideau d'argent, de fer ou de bambou. On griffonne des adresses. On échange des mains, des baisers, des larmes. On regarde une dernière fois les drapeaux grelottants de froid, les plumes d'Indien sur la cendrée. On refait son sac jusqu'à la prochaine fois.

J'ai refait mon sac pour la centième fois...

J'ai pris l'avion pour Toronto. J'avais dit avoir encore quelques clichés à faire. Et quelles images ! Les Jeux olympiques pour handicapés. Les jeux sont déjà commencés depuis deux jours. Leur ouverture a coïncidé avec la clôture de ceux de Montréal. Je vais retrouver sous les pluies de l'Ontario beaucoup de mes amis rencontrés aux Olympiades de Suède.

Le petit Australien, celui-là qui venait du fond du stade en pleurant de joie, aura-t-il eu assez d'argent pour se payer le voyage ? Me sentirai-je plus près d'eux que des vedettes toutes neuves de Montréal ?

En tant que reporter, on me loge à l'Université, dans une chambre d'étudiant laissée vacante pendant les Olympiades. Je me sens un peu triste après toutes ces lumières de carnaval mais pressé de me plonger au cœur du mouvement, dans ces Jeux paraolympiques.

Au stade d'Etobicoke, je fais valider mon accréditation. Ici il n'y a pas de problèmes : je suis le seul reporter français ! Ne bougez plus ! Photo en quatre exemplaires. Avec mes moustaches, je me trouve un air sud-américain. J'expédie un télex au Turc qui ne s'est toujours pas manifesté. Que s'est-il passé avec mes photos ? Je lui fais pourtant confiance avec ses airs de grand garçon timide, toujours embêté quand on vient lui demander de l'argent.

J'attaque très tôt le matin sur le stade, entre deux averses. Je flâne du côté des sprinters assis sur des petits fauteuils à grandes roues en alliage léger. Ils s'entraînent en piquant des sprints puis virent au bout sur deux roues. Je fais plutôt vieille guimbarde, ou « vieux stock-car d'Emmaüs » avec mon char voilé. Les roulements rouillés émettent des bruits d'antique moulin à café. Comparé au leur, mon fauteuil a l'air d'avoir fait plusieurs retraites de Russie. Le dossier est tordu et me fait de plus en plus mal. Il me rentre dans le dos, laissant des traces bleuâtres qui saignent parfois.

Il y a trois mille personnes dans les gradins et pas loin de deux mille athlètes sur le terrain. Ils sont venus d'Afrique, d'Asie, d'Europe, d'Amérique, d'Israël. Parmi les Français, je reconnais quelques visages. Au centre de rééducation motrice de Fontainebleau, nous faisions du basket ensemble. Je suis content de les voir là.

L'une des concurrentes des Jeux d'hiver vient me saluer. Elle ne m'a pas reconnu tout de suite, avec mes moustaches de... « gitan », dit-elle.

Comme à Montréal, je vais d'un stade à l'autre, je passe de l'escrime à la natation, de l'haltérophilie aux courses de demi-fond. Mais je me sens plus à l'aise dans mes évolutions : les installations ont été pensées, dessinées pour moi comme pour tous. Plus à l'aise aussi dans mes cadrages : je n'ai pas besoin de travailler au téléobjectif, le 50 mm me suffit. Plus à l'aise enfin pour sourire, serrer une main, engager une discussion : ici, personne ne se prend pour une vedette, et pourtant ! Pourtant, lorsque Brown souleva près de 600 livres au développé couché, les oreilles du géant soviétique Alexeief ont dû siffler.

J'assiste aux éliminatoires du 100 mètres dans la catégorie des non-voyants. Ils sont deux par course : les pieds dans les *starting-blocks,* les yeux tournés vers le ciel. Au bout de la ligne leur entraîneur porte un haut-parleur. C'est au son de sa voix qu'ils seront guidés. Le coup de feu part : ils courent la tête en l'air, comme retenus par un fil de marionnette, ils courent à une vitesse incroyable. Le vainqueur franchit la ligne en cassant le buste sur le fil, sur le fil de voix du haut-parleur, établissant un temps de 11,5 secondes. Dans une série, l'un d'eux, pris d'angoisse une fraction de seconde ou repris par la nuit, ou saoulé par sa propre peur, est sorti de sa trajectoire. Il est venu percuter un fauteuil roulant au bord de la piste et s'est blessé grièvement.

Je passe la journée sur le stade d'athlétisme où j'assiste aux finales du 100 mètres en fauteuil et du 100 mètres pour unijambistes et amputés des deux jambes. Ces derniers courent sur leurs prothèses. Ici l'on ne peut plus se contenter de regarder, on ne peut plus que tordre son corps dans le même effort, courir après la même vie, avoir le cœur qui s'affole, communier avec eux et ouvrir si grands les yeux que c'est le cœur qui se met à voir. Dans l'une de ces courses, l'un d'eux courra à cloche-pied. Il avait mis tout son argent dans le billet d'avion et n'avait pu se payer une prothèse.

Les épreuves du saut en hauteur, tant chez les unijambistes que chez les non-voyants, seront les plus spectaculaires, peut-être les plus passionnantes. A proximité de la barre, le non-voyant lève la main avec précaution, la pose sur la barre, puis sur sa poitrine. Pendant quelques minutes, il fait le va-et-vient entre sa poitrine et la barre afin de bien apprendre la distance. Et puis il saute... un bond fantastique !

« Le saut fantastique de l'unijambiste », titrera *France-Soir* au-dessus de la photo que j'ai prise d'Arnie Bold. Et cette légende à ce saut légendaire : « C'est peut-être la performance la plus extraordinaire que l'on ait vue au Canada en ces mois olympiques... » Il est vrai que la finale du saut en hauteur pour unijambistes fut aussi passionnante, sinon plus, que celle où Dwight Stones, le play-boy de Californie, perdit la médaille d'or. Ce jour-là, dans le stade de Montréal, sous une pluie fine et glacée, nous étions restés accrochés aux longues foulées des deux derniers concurrents. La barre était à 2,24 mètres. A Toronto, elle est à 1,70 mètre. Il pleut sans discontinuer sur les trois athlètes qui restent en piste : un Indonésien, un Autrichien et un grand Canadien de dix-huit ans, Arnie Bold, amputé depuis peu. Arnie laisse sauter ses camarades et ne fait que s'échauffer.

La barre est à 1,75 mètre. L'Autrichien, vainqueur dans le slalom aux Jeux olympiques de Suède, vient d'échouer malgré la puissance de sa jambe unique.

La barre est à 1,86 mètre. Arnie enlève ses lunettes, secoue sa chevelure bouclée, sautille sur place, laisse tomber ses béquilles puis, en quatre bonds, prend son appel et... je le prends au-dessus de la barre, en plein vol, tel un oiseau ; son bassin est au moins à 2,20 mètres afin de

132

compenser sa deuxième jambe qui devrait lui servir à s'enrouler autour de la barre... Il retombe victorieux sur les cubes de mousse.

Je n'ai le temps ni de me reposer ni de manger. Le soir, je fonce à l'aéroport pour faire partir mes bobines par fret aérien puis je rentre sous les grands chapiteaux. Je regarde danser la foule des compétiteurs. Les fauteuils tournent, balancent, virevoltent. Les cavaliers sur leurs chaises font swinguer les jolies étudiantes venues se joindre au groupe. Puis je rentre, quelques minutes plus tard, et me couche épuisé d'avoir poussé ce fauteuil en plomb.

Mon escarre est toujours aussi laide mais je tiendrai encore quelques jours avant d'aller me faire soigner. D'aller nous réparer l'un et « l'autre ».

Au tir à l'arc, épreuve réservée aux paraplégiques, personne ne se parle. Chacun prépare ses flèches, ajuste la corde sur les poupées, règle le balancier. Le bras se replie et tend sans lâcher les 45 ou 50 livres, puis lentement replace l'arc en fibre de verre sur son reposoir. Personne ne parle mais un individu sanglote : un jeune Danois tétraplégique, c'est-à-dire paralysé aussi des membres supérieurs, essaie de convaincre les juges qu'il peut participer à la compétition. Il s'est entraîné pendant de longues années. « Les tétraplégiques ne sont pas admis dans cette discipline », lui répondent les juges. Il s'explique dans sa langue, les mots sortent par saccades, de grosses larmes roulent sur ses joues lisses et glissent dans son cou, dessinant un paysage auréolé sur son survêtement. Après de longues palabres on l'autorise enfin à tirer, mais hors classement et légèrement à l'écart des autres compétiteurs.

Après chaque volée de flèches, chacun regarde dans sa lunette d'approche pour corriger le prochain tir. Cette formidable rangée d'archers a quelque chose de fantastique, comme la charge des chevaliers teutons sur la mer gelée d'Eisenstein.

Pour la finale de l'haltérophilie, toutes les places ont été réservées à la presse locale. J'ai beau discuter, démontrer, tempêter, rien n'y fait. La bureaucratie anglaise est là, vigilante et hypocrite, ne « reculant devant aucune évidence ». Avec cent fois plus de photographes, Diane arrivait à contenter tout le monde. J'obtiens quand même un billet alors que la compétition est commencée.

En catégorie poids lourds, Brown prend son temps ; il observe le Suédois, son rival le plus dangereux. Celui-ci, jeune paraplégique au visage poupin, très gros, tourne depuis cinq minutes autour de la barre en lui criant des mots d'encouragement, puis en l'insultant, et finalement, parvenu au paroxysme de la colère, se glisse dessous. Il soulève en hurlant les deux cents kilos.

Maître Brown attend son heure pour assommer son adversaire. Il commence à 450 livres, pour « voir », comme un joueur de poker, et puis grimpe la mise. Les chiffres s'accumulent. A la dernière levée, il s'approche de la barre de 580 livres, soit 265 kilos, et rafle tout l'or de la médaille.

Les hommes forts laissent la place aux basketteurs. Là encore j'ai dû engager une pénible discussion avec la

134

bureaucratie anglaise et n'ai pu assister aux premiers matches. Bien que pratiquées en fauteuil, les compétitions de basket se déroulent sur le terrain de basket habituel, avec la même hauteur de panier et les mêmes règles. Simplement, les roues remplaçant les jambes, le « marché » signifie deux tours de roue et on reste cinq secondes au lieu de trois dans la « bouteille ». Interdiction de percuter un fauteuil, de taper sur le bras d'un adversaire, etc. Le nombre de points marqués lors de ces matches est voisin de ceux marqués par les athlètes munis de leurs jambes, ce qui représente une adresse et une rapidité stupéfiantes.

En regardant le match final qui oppose les Israéliens aux Américains, j'ai une grande envie de participer. J'y mêle aussi quelques souvenirs et de la rancune contre la bureaucratie vénézuélienne. Au Venezuela, lorsque j'avais monté mon association de handicapés, j'avais eu le désir de former une équipe pour les Jeux. Car ce pays, le plus riche d'Amérique du Sud, n'a pas d'équipe de sport handicapé, et il « s'en fout ». Il n'aime pas l'occasion, il préfère le neuf ou le clinquant de Caracas. Le capitaine de l'équipe américaine, professeur dans une faculté de Los Angeles, est un ancien polio. Ce grand type de près de deux mètres s'est entraîné en Israël pendant plusieurs années ; à lui seul il va organiser, défendre, attaquer, shooter, imposer son jeu et son rythme face aux Israéliens redoutés pour leur vitesse. Le match se tient et les quelques points de la victoire seront arrachés au capitaine de l'équipe israélienne, encore fatigué de sa victoire en finale du tournoi de ping-pong. La France fait là une très bonne prestation puisqu'elle finit troisième après avoir battu les Anglais et les Hollandais.

Les Jeux se terminent par une immense parade tout autour du stade, suivie d'un long discours de sir Ludwig Guttmann, président et fondateur des Jeux paraolympiques. Je le salue ici comme en Suède et nous échangeons quelques mots d'amitié. Les athlètes, autour de nous, se sont mis à tourner comme des derviches. Des couples dansent. Des mains se serrent et se nouent. Mon cœur aussi se serre et se noue ; je dis : à demain ! alors que, pour moi, au bout c'est l'inconnu et que, pour beaucoup d'autres, après sourires, drapeaux, médailles, ce sera le désert et l'indifférence d'une société égoïste.

Ce tourbillon des peuples à Montréal m'a réjoui, m'a fait crier de joie. Toronto a fait plus encore mais je rêve d'être dans une rue de Los Angeles, le pouce levé, le sac posé sur l'asphalte un peu mou. Je rêve qu'un automobiliste s'arrête et qu'une rencontre tisse un nouveau rêve autour de moi.

— Où allez-vous ?

— Je ne sais pas... Si ! là-bas, sur les collines.

— Bien, montez !

— Oh ! non, plutôt vers la plage, au bord du Pacifique.

— Vers la plage, vraiment ?

— Cap sur Los Angeles.

VI

L'escale

Les dernières minutes dans l'aéroport de Toronto sont difficiles, énervantes, comme si je m'enlisais dans la moquette usée. Le sol m'étouffe, me voilà pris de claustrophobie entre quatre murs de verre ; j'aspire à décoller, à me plonger dans le ciel, à me noyer dans les nuages. Là-haut, dans l'avion, je redeviendrai un citoyen de nulle part, je n'appartiendrai à personne, je redeviendrai moi, un évadé qui se balance comme un funambule sur le fil de la vie, de la mort... de la vie, de la mort.

Rouge-Neige aurait aimé l'avion, lui qui naviguait dans le temps comme un philosophe. Il évoquerait la Chine. Il me parlerait de Mathieu et de sa hantise des voyages, de sa peur de se mouvoir dans le silence sous le feu des étoiles, sans le froufrou des coulisses. « Te souviens-tu, lorsque Mathieu était allé au Pakistan rechercher un jeune drogué, comme il t'avait maudit ? Il t'avait maudit parce que, sur ton conseil, il avait pris une ligne pakistanaise et que l'on n'y servait pas de boissons alcoolisées. La peur de l'inconnu et de lui-même le plongeait dans les vapeurs du whisky; il y retrouvait un état second qui lui était nécessaire pour se regarder. Ainsi certains êtres, maquillés, portent-ils un beau visage d'homme, sage et serein, sur leur masque. »

Je prolonge de plusieurs semaines l'escale de Los Angeles pour cicatriser ma blessure. Voilà un mois que je me traîne sur mon fauteuil en ruine, croulant sous le sac ; j'ai vraiment besoin de me reposer. J'ai hâte aussi de retrouver Mike et sa femme dans leur petite maison de Dana Point. Mike, j'en ai si souvent parlé ! En feuilletant *L'Homme qui marchait dans sa tête,* j'ai retrouvé sur lui ces quelques lignes parmi tant d'autres : « ... Ce phénomène de Mike — paraplégique-acrobate, capable de faire des roulades avant comme n'importe quel gymnaste —, ce prétendu « handicapé », entraîneur-professeur d'une équipe de gymnastique et de natation, qui donne aussi des cours de psychologie à *Lon Beach College.* Je le suis partout, apprends à plonger du fauteuil directement dans l'eau de la piscine, l'assiste dans ses travaux dirigés. » Je lui dois tant à Mike, à sa force, à son sourire et à son enthousiasme. Pendant ma première visite aux États-Unis, il m'avait fasciné par son invraisemblable sens de l'équilibre. En quelques semaines il m'avait appris à marcher avec des attelles et, après mes débuts hésitants de Pékin, j'en étais venu à me déplacer dans sa maison assez facilement. Lorsqu'il montait un escalier, je le regardais faire. En équilibre sur ses deux cannes, il balançait son corps d'une marche à l'autre. Nous nous levions tard et, après un gigantesque petit déjeuner, nous partions donner nos cours, entrecoupés de récrés, comme des gosses. Le temps coulait sur un rythme différent, le temps coulait de la vie dans mes veines.

C'est à cette même époque que j'avais fait la connaissance de Ron. Mike, lui, ne l'aimait pas trop, non pas à cause de la drogue mais parce qu'il semait le désordre dans l'hôpital des Vétérans ; notamment la fois où il dénonça en présence de journalistes « l'emploi de drogues sur des patients incapables de se défendre ». Une enquête fut ouverte. Sous les moustaches de Ron passa à ce moment un vent de scandale qui, mêlé à l'action d'autres vents, allait souffler la tête d'un président : quelques mois plus tard, éclatait le Watergate.

Pendant la première semaine je m'allonge partout dans l'herbe ou sur le tapis pour cicatriser l'escarre. Mike me prépare des cocktails de vitamines que j'avale avec du lait ou du yaourt liquide. Moi, je l'abreuve des exploits de Nadia Comaneci. Au bout de la semaine, l'escarre, grosse comme une pièce de monnaie, s'est refermée. Miracle vitaminé ou champs magnétiques décuplés au contact de mon ami ? Mike est un fervent adepte du *Psychic Healing* et arrive à se cicatriser un tas de petites escarres qu'il contracte lors de ses entraînements d'acrobatie et de ses chutes. Toutes les hypothèses sont permises. Je crois fort à l'assemblage de toutes. Par contre,

139

les oreilles de Mike ne se sont pas refermées : il redemande « du Comaneci »...

Je reprends du poids sous le ciel de Californie mais, peu à peu, cette vie commence à m'ennuyer ; je me sens submergé et coulé dans le dentifrice et le savon. Aussi, un jour, j'emprunte le camion rouge de Mike et je pars pour San Francisco. C'est à Stinson Beach, à quelques kilomètres de là, que ma sœur avait défroissé ma solitude et retapé ma carcasse éprouvée après plusieurs mois passés en Chine et en Asie. Rien n'a changé, ni la ville ni la maison ornée de l'aigle américain ; seulement, ma sœur n'est plus là et la maison résonne, froide et vide : aussi l'aigle est-il morne et pitoyable, et la ville sans âme !

La nuit, je m'endors dans le camion au bord d'une plage. Un matin, au réveil, je me frotte les yeux en découvrant Shelley, une petite Californienne blonde, héritière de la grande migration anglaise. Elle vient à ma rencontre. Le temps s'arrête dans les collines et dans les forêts de séquoias. Je ne vois plus que les yeux de Shelley, le corps de Shelley, les arbres qui plient sous les caresses du vent... Quelques jours plus tard, nous retournons chez Mike. Il rit, plaisante, lui fait un peu la cour, frappe à notre porte vers midi pour lâcher une plaisanterie. Il rira encore plus fort que nous lorsque, au cours d'une étreinte, Shelley et moi passerons au travers du sommier. Pourtant, le démon de la route m'a repris. Je rassemble mes économies et, sur la pointe des pieds, tôt le matin, sans réveiller Mike ni Shelley, je prends la route du sud, celle qui survole les sierras et les déserts du Mexique.

Après une courte escale à Guatemala City, la nuit s'est refermée sur nous. Par le hublot on aperçoit la côte du Venezuela qui se déroule comme un chapelet de verroteries. Puis à 10 heures du soir l'avion se pose à La Guaira, l'aéroport de Caracas.

Dans le hall j'aperçois Manuel ; il me faudra deux heures épuisantes de formalités pour le retrouver. Manuel fut mon ami, mon conseiller, mon frère spirituel pendant l'année où je vécus ici[1]. On le disait homosexuel : je le ressentais humain, cultivé, naïf et tendre. On le disait précieux et vieux garçon. Pourquoi pas précieux et vieux garçon ? De son métier il est décorateur, artiste-artisan dans ce décor hispano-américain plus incohérent encore que baroque.

Manuel m'a installé dans un studio vide au pied de la colline de Las Mercedes, juste au-dessous de la villa-forteresse du milliardaire Reni Otolina.

— Sais-tu que Reni Otolina est mort ? Pendant la campagne présidentielle, son avion a décollé de l'aéroport mais, au lieu de prendre la direction de la mer vers l'île de Margarita où il allait faire un débat politique, il a tourné et est venu se fracasser contre la montagne.

— Accident ?

— On pense plutôt à un sabotage.

Comme un livre jeté et feuilleté par le vent, les pages tournent à toute vitesse. Mon livre recueil devient cercueil. La poussière recouvre Otolina, « ... mince, très play-boy sous ses cheveux gris accordés au gris-bleu des

---

1. Cf. *L'Homme qui marchait dans sa tête*.

yeux... » Quelques lignes de mots, comme des mottes de terre que l'on jette en vrac sur une tombe, me reviennent : « J'ai réussi à avoir un rendez-vous avec l'un des personnages les plus importants de Caracas, le plus célèbre présentateur de télévision du pays, Reni Otolina (...) Une gigantesque serre d'orchidées occupe tout un mur de la pièce (...) Ému, il commence à raconter le cauchemar de sa vie : cette fille championne d'équitation qui s'est rompu les vertèbres cervicales en plongeant dans une piscine. Il me montre les photos d'un ange... »

Ce milliardaire qui voulait encore plus que des milliards, des milliards de pouvoirs, s'est lancé dans l'arène politique. Mais la note au bas de sa vie est sinistre, le détail aussi : un enfant mort en bas âge, une fille à la santé mentale fragile, une troisième fille accidentée devenue tétraplégique ; entre-temps, ses deux filles enlevées par la mafia, et lui qui va s'écraser contre une falaise.

Je regarde la pluie qui tombe sur les plantes tropicales de la terrasse... et les quelques marches de l'entrée qui m'empêchent de l'atteindre. Mes plus grands rêves, c'est ici que je les ai déployés. Je les ai aussi meurtris, pliés, brisés contre l'indifférence de certains, la pauvreté d'esprit de beaucoup. Pourtant, au milieu de ce désert de Caracas, ce désert de l'âme, certains hommes ont su ne jamais perdre ma trace. Manuel — l'artiste écorché — rentrera tout à l'heure. Il me parlera de Barcelone, de la « colonia Tovar », ce village allemand perché dans les montagnes. José — mon ami diplomate bronzé comme un Indien, raffiné jusque dans les moindres détails et qui m'hébergea quand ma barque était à la dérive — José sortira de sa poche son album d'images. Alors que j'habitais chez lui, au milieu des statuettes péruviennes, des fresques en bois sculpté représentant des scènes religieuses, je retrouvais le calme, l'harmonie. Son appartement était une véritable serre odorante (cette façon qu'il avait de composer de gigantesques bouquets de fleurs !). José s'asseyait, prenait son chien sur ses genoux, le fidèle Nica qui avait échappé aux guerres civiles du Nicaragua où il était né, et nous parlions. Souvent il s'arrêtait, comme en équilibre sur un mot, et ouvrait pour moi le grand livre de la jungle, peuplé de ses héros : Don Fernando, qu'il avait connu, Papillon, le trésor de sa famille enfoui quelque part au Pérou... Partout dans le monde, depuis que je me suis évadé, depuis que le monde existe pour moi, j'ai pu m'abreuver chez des hommes comme ceux-là.

Je me terre dans ma chambre vide et me prépare des rêves, un peu comme la marmotte, les yeux clos, tendant l'oreille aux chants des abeilles. Je tends l'oreille à Manuel et à José.

Il y a un an, je m'étais sauvé de ce pays, déçu, presque éconduit, comme si Caracas n'avait pas de sang, pas de cœur ou comme si le cœur était un mal, presque un sacrilège. Ici tout se paye, tout est argent. C'est un pays de truands, de mafiosis, de contrastes aussi : il y a la beauté et la gentillesse des paysans et des pêcheurs — il y a les chancres des villes. Maintenant je n'attends plus rien de cette ville-piège, ville-oubliette bordée de pauvreté et de fausse richesse.

Bolivar, à la tête crottée de pigeons, reconnaîtrait-il son

pays éclairé de néons sous lesquels roulent des diligences de chrome et d'acier ? Reconnaîtrait-il ses cow-boys, les mains dans les poches trouées, allant pointer au chômage ? Qu'y avait-il donc sur cette terre du Venezuela pour que je m'accroche, pour que je roule mon fauteuil aux portes des tout-puissants ? Sans doute le regard des paralysés de l'hôpital Perez Carneo, la tête des pêcheurs de Los Roques qui nous grillaient le poisson sur un petit feu entre trois pierres de corail, et la jungle odorante, parsemée d'orchidées. Qu'y avait-il dans ma tête, dans mon corps en cavale pour que je lutte, colosse encagé, géant ridicule, face aux banques et aux multinationales ?

— Oui, pourquoi ? dirait l'oiseau. Te voilà à nouveau au pied de la montagne, assis sur ton échiquier. Tu as joué les cavaliers et les fous, tu as perdu tes tours et ta dame, et maintenant tu n'es plus qu'un roi qui erre en attendant la « grande rencontre », et qui ira bientôt s'installer au café pour allonger les heures. Tu resteras là, les yeux flétris dévorant les visages autour de toi. Pour engager un dialogue, tu pousseras ton fauteuil et ton cœur se serrera devant cette personne qui ne te parle pas. Tu mangeras sans savoir pourquoi tu manges et, à la fin du repas, tu reprendras un café, bien que tu n'aimes pas le café. Tu en commanderas deux : un pour toi, que tu tourneras avec ta petite cuillère, et un pour l'autre. Tu tournes, tu tournes, accroché au bastingage de ton fauteuil, jusqu'à en avoir la nausée. Tu tournes, tu tournes et reviens perpétuellement à cette copie ratée, à cette page que tu devrais tourner, tourner !

144

— Soit, l'oiseau ; je remonte une expédition et je pars en Amazonie. J'irai vivre chez les Indiens Yanoama au nord du Brésil, dans le haut Xingú.

Mais je n'ai même pas eu besoin de dire ces mots-là, ni à l'oiseau ni à l'attachée culturelle de l'ambassade du Brésil.

Celle-ci m'accueille avec un grand sourire. Nous nous connaissons bien ; c'est de là que j'avais entrepris ma précédente traversée de l'Amazonie. Elle sait déjà que je veux retourner dans la *selva*, au milieu des cris d'oiseaux et des silences de brume. Elle sait bien que Caracas n'est pas le Venezuela et que sur les bords des rios planent d'autres vérités, parfois simples, parfois inquiétantes comme les nuages qui traversent les yeux des indigènes, les « Enfants de la Lune ».

— Un avion part dans une semaine.

— Pensez-vous que le pilote acceptera de me prendre ?

— Certainement, mais la saison des pluies persiste. Il n'est pas sûr de revenir avant le printemps. Ça vous laisse seul en brousse pendant sept à huit mois.

Huit mois seul à remonter les affluents jusque dans le haut Xingú, à la recherche des dernièrs Indiens de la forêt ! Je veux être le témoin de leur vie simple ; je veux partager la lenteur de leurs gestes, le soir, dans la maison communautaire de palmes tressées... Mais que dis-je ? Je ne sais rien d'eux et ne désire pas les étudier. Moi qui ne fais que passer, je veux retrouver des racines. Je veux que la terre me parle, qu'elle me donne des raisons de vivre.

José, à qui je fais part de mon projet, me raconte sa première rencontre avec les Indiens dans la partie amazonienne du Pérou. Les membres de la tribu le détaillèrent, le touchèrent, tirant sur les poils de sa barbe. Il dut boire d'infectes décoctions qui lui soulevèrent le cœur.

Plus il parle et plus mon désir de partir augmente...

La pluie a transformé les rues de Caracas en mares huileuses et saumâtres ; mon pilote n'a guère d'espoir de se poser au sud de Boa Vista. Les terrains de brousse sont trop dangereux.

*
**

Me voici dans l'avion qui me ramène à Paris. Avec le temps, le mauvais temps, ma résolution de partir en brousse s'est embourbée. Je regarde la mer par le hublot, déçu et déprimé par cette décision que je n'ai pas prise, comme si ma volonté s'était enlisée dans une saison de pluies. Ainsi ai-je pris mon billet par désespoir, pour rien : rien ne m'attend à Paris, aucun travail. Mais après une fausse sortie ! J'avais, paraît-il, oublié de payer mes impôts, moi qui n'ai jamais rien gagné dans ce pays. A l'aéroport, un inspecteur m'attendait. Par bonheur, Manuel était là, une fois encore, et m'a sauvé de cette situation en se portant garant de moi.

Perdu là-haut dans le ciel, je m'endors aisément. Je m'endors avec mes rêves et mes nuages. Un moment, m'apparaît Rouge-Neige tout ébouriffé et posant sur le monde son œil rond et mobile, puis Paris et les feuilles rouges de l'automne. Les feuilles rouges se transforment

146

en milliers de photos de la Transat, des Jeux, des milliers de clichés répandus au pied de la statue de Simon Bolivar.

Une odeur de bonbon flotte dans l'appartement silencieux. J'y retrouve les secrets de la vieille dame. Dans un placard de l'appartement s'entassent des échantillons de crêpe de Chine. Dans un tiroir de ma chambre-tiroir : des cotonnades légères, des fleurs en perles de verre.

Je file à l'agence. Au milieu des boîtes de carton, Alex me regarde : de nouvelles nuits de veille ont cerné son visage ; Delphine me saute au cou ; Josette disparaît peu à peu derrière ses franges qui lui couvrent les yeux. Je me sens un peu en famille dans ce couloir de récréation. Le Turc m'aborde avec un large sourire :

— Tu as vu tes parutions ? Ton saut en hauteur a fait la une de *France-Soir*. On en a diffusé partout en Europe de tes photos !

Mon sourire se fait aussi large que le sien, puis tombe sur mes photos de Montréal et se referme soudainement. Toutes mes photos sont légendées au nom de Nick ! Dans ma panique j'entends quelqu'un me bredouiller une explication. L'archiviste stagiaire, en recevant les bobines mélangées, aurait simplifié en mettant tout au nom d'un seul photographe. Quant aux photos du départ de la Transat, mystère ! Les bobines ont disparu, avalées sans doute dans le dédale de la presse parisienne. Un travail forcé pour ce piètre résultat.

Alex, Francis, Thierry et moi allons au café en face et là, près du zinc, sur un bout de plastique, on s'offre les nouvelles du monde :

— Le petit Arnaud a salement dérouillé au Liban :

quatre-vingt-cinq éclats d'obus. On lui a retiré un rein. C'est un très sale coup mais il en veut, le môme.

Le beau Francis, à son habitude, engueule et terrorise tout le monde puis d'un seul coup lâche un mot gentil.

Un jour, lui qui ne m'avait jamais adressé la parole m'aborda et me dit sur son ton bourru mais plein de tendresse :

— Tu sais, ma mère elle est comme toi.

Lentement ces quelques mots ont tissé autour de lui et de moi un fil d'amitié, un fil immense et discret. Francis le taciturne, Francis qui ne parle jamais — qui monte ses « coups » tout seul, piste, traque ceux qui font les devantures de magazines - entrait chez moi et me racontait au milieu des boules de naphtaline ses planques, ses longues heures d'embuscade, ses clichés tant attendus.

Un jour, il s'embusqua sur la corniche d'un toit surplombant la clinique dans laquelle se trouvait Onassis. Il attendit que quelqu'un vînt ouvrir la fenêtre, découvrant le corps affaibli du malade. Lorsque la fenêtre fut ouverte, Onassis, mû par un sixième sens ou par son intuition, tourna légèrement la tête et, levant les yeux, regarda dans sa direction. En équilibre sur la corniche, Francis brandit son téléobjectif de 500 mm — le visage d'Onassis apparaissait en pleine lumière dans l'encadrement de la fenêtre — et shoota immédiatement six photos.

Le soir, en développant le film, son sang se glaça : là, dans l'encadrement de la fenêtre, bien au milieu de la pièce et de ses meubles métalliques, là sur le négatif, à la place du lit : rien ! Mais plus rien ! Tout avait disparu, le lit et le malade. Ils s'étaient envolés ou dissous dans la

148

pièce, comme si Onassis avait dit à la vie : « Tu vois, je n'impressionne même plus la pellicule. »

De son regard d'enfant, Francis me demandait :

— Comment tu peux comprendre, toi, un truc pareil ?

— Ce n'est peut-être pas un truc. L'homme est sans doute capable de tout. De se déplacer à la vitesse de la lumière. De lire et parler dans la tête des autres. De tordre la nuit, le désespoir. De tordre la matière à distance, tordre des clefs comme Uri Geller, d'ouvrir toutes les portes. Moi aussi je me pose souvent cette question : pourquoi ces tours du monde, cette longue marche que je fais face à la mort et qui me laisse un vide au fond des tripes, comme une chambre de malade sans malade ni chambre ?

Francis est reparti, avançant en silence sur les traces des noctambules dans le sable des conflits.

Mes boîtiers de côté, le vieux sac sous le lit, je me laisse traîner par les jours. Je me cogne à nouveau aux murs étroits de mon appartement. J'attends à nouveau la Grande Rencontre ou n'importe quoi d'autre qui me libère... Et puis, un matin, j'ai senti un signal, comme la venue du printemps.

TROISIÈME PARTIE

I

Une autre vie

J'ai pointé un doigt imaginaire sur la carte du monde. Là, au bout du doigt : Beyrouth, le Liban, où chrétiens et musulmans s'entretuent. Je ne cherche pas les explications. Je ne cherche pas aussitôt à trier les bons, les méchants, les comploteurs, les manipulateurs. Je devine seulement, comme au Viêt-nam, les horreurs physiques et morales qui détruisent les victimes : les paralysies, les brûlures, les amputations. Ces hommes et ces femmes dont la terre glisse entre les doigts.

Je désire y soigner ces gens, créer les conditions de leur guérison, avec modestie, sachant bien que mes efforts n'enrayeront pas l'engrenage de la violence. Je désire partir là-bas avec un enthousiasme fou, une croyance en l'homme. Pourquoi ? Je reste horrifié par la misère et l'injustice, émerveillé par tous ces individus regardés un à un.

Mais pourquoi ? Je ne sais pas, j'aimerais répondre : « parce que... » comme un enfant.

Je téléphone à « Médecins sans frontières » et obtiens rapidement un rendez-vous avec le Dr Récamier. Dès le début de notre entretien, je lui expose le motif de ma démarche :

— Je désire soigner et contribuer à organiser les soins et la rééducation des blessés de la guerre du Liban. Est-ce que « Médecins sans frontières » peut m'aider ?

— Je comprends votre désir de partir sur le terrain, me répond le Dr Récamier ; mais personnellement notre organisation ne peut rien faire. Nous ne sommes plus sur les lieux. Je ne peux donc que vous recommander à une fondation de handicapés. Cette fondation a été contactée par les chrétiens du Liban. Ils recherchent des rééducateurs pour les blessés de guerre, hospitalisés dans un hôpital de Beyrouth.

Il n'a pas d'autres précisions. Tant pis, mon choix est fait : je partirai et resterai là-bas, le temps nécessaire, quoi qu'il arrive de ce côté de la mer Méditerranée.

Mlle Hélène est petite ; elle a trente-cinq ans. Elle est l'envoyée des chrétiens du Liban. Elle me donne quelques détails sur la situation médicale à Beyrouth. Suit une longue discussion sur la politique à mener en faveur des handicapés, sur ma pratique au Viêt-nam, etc.

— C'est très bien, dit soudain Mlle Hélène, mais à combien s'élèveront vos honoraires ?

A cette question, je souris. Il me semble que ces gens ont déjà payé trop cher le prix de leur existence. Rému-

154

néré pour ce travail, je me sentirais comme acheté et cela gâterait les soins que je pourrais donner.

— Je ne veux pas être payé. Ce que je désire, c'est, pendant un mois ou deux, pouvoir former des médecins, des rééducateurs, des infirmiers. En échange, je veux une assurance-vie et un billet d'avion aller retour. C'est tout... Ah, j'oubliais ! Un lit et de quoi m'alimenter.

(Pour le financement des hôpitaux j'espère trouver les fonds auprès des organisations internationales.)

Il me reste quelques contacts à prendre, et d'abord avec le responsable de l'organisation pour l'aide aux chrétiens du Liban, le Dr F., qui me brosse un tableau assez vague de la situation médicale. Muni de ses quelques informations, je vais à la rencontre d'un autre docteur, le Dr Michaux. Celui-ci est le grand spécialiste des appareillages et de la rééducation des amputés au centre de rééducation de Valenton. Cet homme que j'avais connu alors que je finissais mes études de kinésithérapie, me donne le regain de forces nécessaires. Chacune de ses phrases me pousse au combat. C'est du solide, sur lequel on peut s'appuyer. « Nous pourrions, dit-il, prendre en notre centre les plus grands blessés, envoyer sur place des prothésistes. » Après lui, la grande chaîne de vie se déploie ; mon billet d'avion sera payé par le Quai d'Orsay, l'assurance-vie par les chrétiens du Liban.

Je rencontre à nouveau le Dr F. Quand je lui demande les informations indispensables, notamment le lieu du rendez-vous à Beyrouth et le moyen d'y parvenir, il me répond :

— Eh bien... en arrivant à l'aéroport... là-bas... il faut

traverser la zone musulmane... bien sûr, c'est le plus dangereux. Si personne ne vient vous attendre, vous prendrez le bus... évidemment, si on vous attend, c'est mieux... sinon vous traverserez Beyrouth. En plein centre vous trouverez l'Hôtel-Dieu. Vous direz que vous venez de ma part...

Quand on sait que cette ville est coupée en deux : une partie chrétienne, une partie musulmane ; que l'aéroport est du côté musulman et qu'il faut donc traverser la zone des combats... Quand on sait qu'il n'y a plus de bus depuis un an, les silences et les hésitations du docteur F. deviennent alors sinistres.

— Attendez !... L'hôpital s'appelle l'hôpital Risk... De ma part quelqu'un vous conduira au Centre de Beït Chebab, dans la montagne.

Le Dr F. n'est évidemment pas retourné à Beyrouth depuis les hostilités. Dans le vague de ses réponses je devine une gêne immense. Pourrait-il m'expliquer comment je traverserai la zone musulmane, sans autorisation, sans connaître personne ?

Je suis sans nouvelles de l'Organisation mondiale de la santé qui m'avait aidé en 1974 au Viêt-nam. Il me faudra compter sur de « bonnes âmes » ou des mécènes pour financer les équipements du Centre de Beït Chebab.

Afin de mieux préparer ma mission, je n'ai rien dit à mes amis. Pourtant, quelques jours avant le départ, j'avertis Bernard Stasi, le confident, le frère de sang, celui qui n'a cessé de croire en moi depuis la nuit glaciale de 1972, et d'être là chaque fois que la nuit m'a repris. Bernard qui savait entretenir le feu de l'amitié au-delà même des conti-

156

nents, en terre d'Asie ou au bord de l'Amazone. Ce n'est pas sa caution que je cherche — ma décision est déjà prise —, c'est son regard brillant de vérité dont j'ai besoin, sa main sur mon bras comme à l'hôpital et ces rides au front qu'il se faisait en me regardant.

De Bernard à Michel Jaouen il n'y a qu'un pas. La veille du départ, je me retrouve au milieu d'amis dans la cave de la rue de la Cossonnerie. Une formidable soirée, à la mesure de ce qui est pour moi un formidable engagement. Demain je serai au cœur de mon combat, avec mes armes glanées dans les hôpitaux du monde, mes petits « trucs » appris au Viêt-nam et en Amérique, ma soif de comprendre et d'aimer. Demain je roulerai mon fauteuil sur un terrain de guerre crevé de balles, trempé de sang, jonché de cadavres, je commencerai une autre vie, une nouvelle année, la cinquième depuis mon jeudi noir.

Qui suis-je dans ce conflit musulman-chrétien ? Quels intérêts vais-je y défendre ? Vais-je y chercher la mort ? Renouer avec elle une valse ancienne ? Les reporters de l'agence, les rouleurs de mécaniques, les soi-disant barou-deurs ouvrent grands leurs yeux quand ils apprennent ma décision. Ici, pas un ne veut y retourner. « Depuis le petit Arnaud », dit-on.

— Mais oui, j'y vais, et je vous enverrai des films, si j'en fais.

Je me souviens encore du ministre de la Santé, Mme Veil, lorsque, en 1974, j'étais allé la trouver afin de lancer une action en faveur des handicapés. Celle-ci m'avait répondu par cette question :

— Quel âge avez-vous ?

— Vingt-cinq ans.

— Vous manquez d'expérience, jeune homme...

Comme elle avait raison ! Cette expérience, je vais la chercher.

« Mais oui, j'y vais », mais le reportage sera secondaire. En fait, j'hésite devant la demande du Turc d'aller effectuer un reportage. Pour deux raisons : la première est que l'ampleur de ma mission médicale ne me laissera guère le temps de barouder. La seconde est plus concrète. Lorsqu'il s'est agi de prendre l'avion à Caracas pour Paris, je n'avais plus un sou. J'ai dû vendre tout mon matériel photo. D'un autre côté, l'idée de partir au Liban sans boîtiers ne me réjouit guère. La tresse de l'amitié jouera-t-elle encore une fois ?

La soirée se termine dans la cave de Michel, pleine des mots tranquilles de celui-ci et de la voix douce de Delphine assise à côté de moi. On parle à voix basse. Depuis quelques semaines, Delphine a tout fait pour m'aider. Elle a vu mes malheurs chez le Turc, mes photos perdues ou attribuées à un autre, mes photos jamais vendues. Elle a pris mes affaires en main. En quelques coups de téléphone, les clichés qui traînaient dans les tiroirs m'ont rapporté l'argent de poche de mon voyage.

Il est 2 heures du matin lorsque je rentre chez moi, mais impossible de m'endormir. J'ai déjà le cœur pressé par la foule. J'attends sous mes draps comme devant les guichets de l'aéroport. L'angoisse montant dans ma chambre-placard, je me lève, empile quelques chemises et un bonnet de laine (il doit faire froid dans ces montagnes). J'ajoute deux livres : *Le Désert des Tartares,* de Dino

Buzzati et *La Corde et les Souris,* de Malraux. Je trimbale toujours Malraux avec moi ; il suit mon chemin dans mon sac, sans le vouloir, comme moi je suis un peu ses traces. J'enfile mon blouson de cuir et boucle mon sac... Il est lourd de deux boîtiers et trois objectifs !

Avant de m'engouffrer dans la voiture, je jette un regard à Simon Bolivar. Sa tête dégouline de pluie. Un oiseau s'est posé sur son épaulette ; Rouge-Neige sans doute puisque, dans ce monde, la vie, la mort et la poésie vivent un amour sans fin. Dans quelques heures je partirai pour Beyrouth, une ville brisée, saccagée. Dans le fond de ma tête l'oiseau me dit un vieux poème chinois[1] qui raconte le drame humain. La séparation, la guerre.

                    Pays brisé,
                        fleuve et mont demeurent ;
                    Ville au printemps,
                        arbres et plantes foisonnent.
                    Le temps qui fuit
                        arrache aux fleurs des larmes ;
                    Aux séparés,
                        l'oiseau libre blesse le cœur !
                    Flammes de guerre
                        sans fin, depuis mars.

---

1. Poème composé par Tu Fu en 757. Traduction de François Cheng. *L'Écriture poétique chinoise,* Le Seuil.

Mille onces d'or :
   prix d'une lettre de famille !
Rongés d'exil,
   les cheveux blancs se font rares ;
Bientôt l'épingle
   ne les retiendra plus !

II

Le cèdre et le roseau

Jeudi 16 décembre 1976

Vol en direction de Beyrouth — Boeing 707 « Château de Fontainebleau ». (Décidément, depuis l'Hôpital, avec un grand H comme Handicapé, jusqu'à l'Aventure, ce nom de Fontainebleau me poursuit.)

Je suis entouré de Libanais, quelques-uns du million d'exilés qui profitent d'une accalmie pour retourner dans leur pays. Le vol se passe tranquillement. Assis de l'autre côté de la rangée, un blessé, les jambes bandées — ses pieds ont été arrachés par une mine —, vient de quitter l'hôpital parisien où il s'est fait soigner. Il retourne sur sa terre, la sienne, qu'il ne sentira plus jamais. Toutes les têtes sont penchées aux hublots — tout est encore calme. Mais gare à l'atterrissage ! Au moment où le signal lumineux et la voix de l'hôtesse prient les passagers de bien vouloir attacher leurs ceintures et éteindre leurs cigarettes, à ce moment les Libanais n'y tiennent plus et se massent contre les hublots avec des cris hystériques. Une bagarre se déclenche alors avec l'hôtesse qui somme en hurlant les passagers de s'asseoir. Finalement l'avion se pose, secoué par un tonnerre d'applaudissements mais sans encombres, sur la piste d'atterrissage. L'hôtesse s'est reprise un peu et annonce une température de printemps. Derrière elle, les Libanais sont massés contre la porte. Ils se bousculent ensuite sur la passerelle.

Il y a une foule immense dans le hall — une pagaille gigantesque entre les porteurs, les militaires et les mendiants — et, au milieu de tout cela, entre les miliciens traînant dans tous les coins, les visons et les sacs de voyage, Mlle Hélène, l'envoyée du Centre hospitalier de Beït Chebab. Le père hollandais qui l'accompagne nous embarque aussitôt dans sa Volkswagen et nous quittons l'aéroport en direction du centre de Beyrouth. Nous traversons la partie musulmane au milieu des chars syriens, des barrages, des éclats d'obus qui miroitent sous le soleil incomparable de cette belle journée d'hiver. Je passe la tête à la portière, il fait très doux. Ici, la ville a été ruinée, pillée, calcinée, hachée par les balles et les obus. On roule le long d'hôtels mitraillés. Puis la merveilleuse baie de Jounieh se déroule, « cercueil de pourpre où dorment les dieux morts ». Elle s'étend au pied de la montagne libanaise, immuable, aux roches imposantes qui balancent entre le gris, le bleu et le parme. Sur le bord de la route, comme les moraines d'un glacier, des gravats, des morceaux·de ferrailles, des voitures calcinées... On passe du

162

côté chrétien — là, tout semble normal, comme étranger à cette guerre. Quittant la route qui longe la mer, on emprunte les lacets qui grimpent dans la montagne, entre les pins et les villas somptueuses. Sous un doux soleil qui commence à roussir les cimes enneigées, nous entrons dans le Centre hospitalier de Beït Chebab.

Situé à 1 000 mètres, cet ancien monastère offert par les moines pour être transformé en centre de rééducation, est une immense bâtisse formée de deux ailes. L'une d'elles est moderne et ensoleillée. Quand nous pénétrons dans le monastère, le soleil a presque disparu à l'horizon. Les pensionnaires nous attendent, entourés des sœurs et d'un frère. Celui-ci, âgé d'une trentaine d'années, est l'animateur soignant de ce Centre de Beït Chebab, « la maison des jeunes ». Les soignants sont tous d'une gentillesse extrême et m'assaillent de questions. Ils me disent leur bonne volonté et leur ignorance complète des soins à donner. Chaque parole que je prononce est aussitôt bue. Ils demandent et redemandent. Je me sens très fatigué et dévie un instant la conversation, mais rien n'y fait : ils veulent tout savoir, ils attendent tout de moi et le désirent tout de suite. Malgré ma fatigue, je parle, je parle. On me demande des démonstrations : je fais des démonstrations. Je mets le fauteuil sur deux roues, je descends du fauteuil, remonte, me mets debout avec les attelles, fais des exercices. Ils veulent tout voir, tout entendre : je donne à voir, je parle, encore...

Épuisé, je m'attable au milieu de tout ce monde pour déguster le plat traditionnel, le kebbé, délicieuse salade faite de tomates, de persil, de menthe, etc., que nous mangeons avec une grosse galette de pain roulée à la main. Enfin ma chambre ! Mon lit ! Petit et en fer comme un lit d'hôpital. Un soldat libanais partage cette chambre. Je lui dis quelques mots, mais il ne « partage » pas ma langue.

Je m'enfonce comme du plomb dans le sommeil.

Vendredi 17 décembre

Ce matin, j'ai fait une connaissance plus approfondie des malades et des équipes de soignants. J'ai arrêté un *briefing* afin d'établir les dossiers médicaux ; fixer les réunions avec les infirmières bénévoles et les rééducateurs (quand il y en aura) ; préparer le programme de notre travail.

Cet après-midi, nous sommes tous invités — malades, soignants et personnel de l'hôpital — au club de Kaslik. Kaslik c'est l'ancien club, le yachting-club, le tennis-club des gens riches de la baie de Jounieh. Ainsi descendons-nous de notre montagne pour cette « journée de détente et de distraction pour les combattants », offerte « charitablement » par la bourgeoisie chrétienne.

Au bord de la mer, dans le luxe des baignades, des discussions raffinées, du canotage, des goûters sur l'herbe, je me tourne de tous côtés et je regarde. Je fais des photos. La kermesse entoure de guirlandes et de femmes bien intentionnées, venues là pour eux, pour « eux seuls », les amputés et les paralysés. Je fixe trois données du problème sur ma pellicule : d'un côté, les combattants blessés ; d'un autre, les bourgeois qui défendent leurs privilèges, leurs

164

terres, leurs immeubles et ne veulent donc pas quitter le pays ; en troisième lieu, les religieux qui n'abandonneront pas le Liban aux musulmans et autres. (Il n'y a pas évidemment dans cette guerre que le problème religieux ; il y a aussi le problème des niveaux de vie, les raisons économiques, les problèmes internes aux riches, qu'ils soient musulmans ou chrétiens.)

Pendant ce frais déjeuner sur l'herbe — qui fait penser à Renoir —, je rencontre une jeune femme de trente-cinq ans, jolie, rousse, sportive : Leïla Yared.

Leïla Yared s'intéresse réellement au problème des blessés de la guerre et refuse la charité, les faux-fuyants, les consolations sous forme de bonbons. Elle parle avec passion, et notre conversation dure longtemps, certes moins « raffinée » mais plus concrète. Elle me propose de venir dîner chez elle le soir même pour la poursuivre. « Je vous présenterai mon mari et mes enfants. Nous habitons au château Boustany. » Le château Boustany ! L'une des branches de cette grande famille libanaise se trouvait justement en Chine quand je vivais à Pékin. Mr Boustany était l'ambassadeur du Liban. Il y avait là son fils et sa fille, avec qui j'étais ami. « Le hasard... ça n'existe pas ! »

Un claquement de mains nous appelle dans l'immense salle du club où nous attend le grand déjeuner. Les pensionnaires de l'hôpital se ruent aussitôt sur les plats, piochant, rattrapant un pâté, une galette, ne sachant plus où donner des yeux ni des mâchoires. Ils mangent à en avoir la nausée, et je les comprends.

Je ne mange pas, mais j'ai aussi la nausée : tout cela est trop moral et à la limite de l'indécence.

Est-ce ainsi que l'on solutionnera la rééducation des centaines de blessés de la guerre ? Pourtant, une solution existe et elle est même très présente à cette table : l'argent. Il faut mettre l'argent au service de ces blessés. Il faut bâtir avec cet argent un centre de rééducation moderne et retrousser ses manches.

Je quitte Kaslik avec Leïla Yared. Nous prenons la route de montagne qui grimpe au château Boustany. La vue de ce château, situé au milieu d'une forêt de pins et de cèdres, est saisissante. Je serre la main de Robert, le chauffeur-garde-du-corps-tireur-d'élite, et de Mamoud, le serviteur soudanais, puis je pénètre dans un décor fabuleux. Leïla me présente à Gilbert, son mari. Celui-ci s'est battu avec acharnement pendant cette guerre. Il allait chercher à Chypre, avec son bateau, du ravitaillement médical, du plasma sanguin. Je fais la connaissance des enfants, Karim et Hallah.

A la fin du repas, composé de plats succulents, mes hôtes me proposent de loger chez eux le temps de mon séjour ici.

— Vous travaillerez le jour à Beït Chebab ; le soir, nous vous enverrons notre chauffeur. Cela ne nous posera aucun problème.

Attiré par le château des Mille et Une Nuits et par le charme des Yared, j'accepte aussitôt. En plus de la réelle sympathie qui s'est installée entre nous, je sens que leurs relations en milieu chrétien, la fortune et le tempérament de Gilbert m'apporteront un appui très solide. Grâce à eux je pourrai fournir l'hôpital en équipements dont il a besoin.

166

Samedi 18 décembre

Nous descendons depuis Ain Arr (le village où se trouve le château Boustany) jusqu'à Beyrouth par une petite route enlacée par les pins et les cèdres, puis nous longeons la côte jusqu'au centre-ville.

Sur la place centrale de Beyrouth, la place des Canons, des chars syriens surveillent les allées et venues. Des enfants fouillent dans les cendres des souks aux bijoutiers. Ils cherchent des morceaux d'or ou des bijoux qui auraient pu échapper aux pilleurs. Ils grattent partout, accroupis dans les décombres des murs criblés de balles. A notre étonnement, nous découvrons quelques étalages de fruits puis une affiche de cinéma calcinée annonçant pour un jour prochain *Les Possédés*. Nous progressons dans ces rues encombrées de plâtras. Un moment, le chauffeur allume la radio et, comme pour accentuer l'aspect fantastique de ce décor de fin du monde, Léo Ferré chante *La Solitude*. Ici comme partout, des enfants grattent et fouillent. Un vieillard accroupi extirpe un portrait des gravats.

Le Saint-Georges, grand hôtel de Beyrouth, a été ravagé. Le long des berges de son yachting-club flottent des carcasses calcinées de hors-bord, des coques fondues. Juste en face, le Holiday Inn est percé d'éclats d'obus ; toutes les fenêtres sont noircies, brûlées. Les prises d'électricité ont disparu, les tuyauteries et les rampes d'escalier volées. De ce building moderne et à l'américaine il ne reste plus qu'une masse de béton. Tout le long de la promenade des Anglais, la corniche Raouche, les palmiers sont scalpés. En bordure de mer, un char couleur de sable se promène avec une lenteur écrasante. Ici, chacun ouvre la bouche et s'étonne de l'ampleur du massacre, et, pourtant, personne ne peut sortir un cri de cette bouche, ni s'aventurer dans ce décor-décombre, dans ce mal blanc éclaté et qui cicatrise mal.

En remontant vers le centre, nous sommes arrêtés par l'un de ces chars couleur de sable qui circulent et bloquent les artères, les carrefours. On nous demande nos papiers, puis on nous fait ouvrir le coffre. Regards soupçonneux des soldats... Un, cent, mille regards aveugles dans les maisons alentour. Dans la terre une plaie immense. Du temps des combats, il y avait des barrages à chaque instant ; l'on devait alors montrer sa carte d'identité sur laquelle est inscrite sa religion. Barrages tantôt palestiniens : alors les passagers, s'ils étaient chrétiens, étaient immédiatement abattus ; tantôt chrétiens, et la même tuerie recommençait.

Au carrefour des Deux-Mondes les voitures s'arrêtent. Les marchandises de toutes sortes sont sorties, puis convoyées par d'autres bras. La croix remplace la main de l'Islam. Sur le côté, les décombres du bâtiment de la Sûreté. Attisé par les dossiers et les documents, le feu l'a complètement ravagé. Tout le long de la rue de Damas, des carcasses de voitures, des arbres abattus. Un énorme champignon gît à nos pieds : c'est le toit d'une station-service qui a sauté.

Nous mettons le cap à l'est, par le boulevard périphérique. Le camp palestinien de la Quarantaine déroule un magma de terre, de pierres, de cadavres. Il est réduit à l'état de terrain vague, de monceaux de terreur, de monticules de haines, de cendres sans espoir.

Dimanche 19 décembre

Tard dans la nuit, dans la forteresse entourée de neige et de pins ébouriffés, dans le silence paisible, loin du silence de mort de la ville, j'écoute Gilbert et mes propres pensées. Reléguant dans la coulisse les savantes analyses et les soi-disant clairvoyants de la politique, l'histoire, avec ses dessous peu héroïques, apparaît.

Peu à peu cette guerre que beaucoup croyaient sainte a pris des allures de défi, de sadisme. D'un camp à l'autre, on ne se voit plus, on ne s'entend plus, on ne se parle plus. Les yeux, les oreilles, la langue et le reste trempent dans des bocaux. Le vol, le pillage, le viol, le meurtre sont devenus la loi. La trahison transpire de tout et de tous.

Mais l'abcès ne devait-il pas crever dans cette partie du monde arabe ? disent certains.

En 1974 le Liban était encore, avec son libéralisme, sa légalité, sa grande tolérance, comme un havre de liberté. En ce pays coexistaient les représentants de tous les partis, même les plus extrémistes ; les réfugiés politiques y trouvaient asile. De plus, le Liban restait une place forte des finances internationales, notamment des pétrodollars. Au début de 1970, l'ensemble des États arabes avait signé un accord avec les autorités libanaises sur le stationnement des réfugiés palestiniens au Liban. En attendant une solution du problème palestinien, les réfugiés se devaient

169

de respecter la souveraineté libanaise. Jusqu'en 1974, tout se passa à peu près bien. L'État et les réfugiés résistèrent à toute provocation qui amènerait à la rupture de cet accord.

La raison du « litige » est à la fois historique et sociologique. D'une part, le Liban est, depuis son indépendance, un état « confessionnel », c'est-à-dire que le nombre de sièges dans le gouvernement, dans les institutions, etc. doit être proportionnel aux différentes confessions religieuses. Il doit y avoir un équilibre entre les diverses religions. Or, cet équilibre donne lieu à une permanente contestation : chaque confession s'estime mal représentée. Par exemple, les musulmans, qui sont de plus en plus nombreux par rapport aux chrétiens, réclament depuis des années un recensement qui permette le rééquilibrage. Une autre raison du litige, et qui l'envenima, tient à la sympathie très forte des musulmans pour l'unité arabe. De même leur sympathie, dans l'ensemble, est plus active pour les Palestiniens que ne l'est celle des chrétiens.

L'horreur, la terreur s'organisèrent rapidement. Les chrétiens conservateurs se constituèrent en phalanges ; les Palestiniens sortirent les armes de leurs camps. L'affrontement prit des dimensions effarantes. L'État, en raison de sa structure « confessionnelle », ne pouvait ni ne pourra jamais jouer un rôle d'arbitre ou de stabilisateur. On parle de complot, de complot international pour déstabiliser l'État et ses relations égalitaires afin de le livrer à une seule religion, à un seul parti...

Je regarde. Je vois que la D.S.H. 4 anti-aérienne est employée aux combats de rue pour faire le carton sur tout ce qui passe. Je vois qu'un jour ou l'autre un combattant a eu dans sa lunette un ami, un frère, et qu'il l'a assassiné. Qu'il a assassiné son voisin, son ancien amour, son camarade de classe. Qu'il a été trompé ; que ses sentiments, son jardin, sa pureté ont été saccagés.

Lundi 20 décembre

Rencontre avec les médecins et les infirmières de l'hôpital Dar el Bache. Le petit hôpital est situé en contrebas de Beït Chebab. Deux médecins viennent régulièrement en consultation pour s'occuper des amputés et des paralysés.

En faisant la visite avec ces deux médecins, je tombe sur des patients qui sont dans un état incroyable : des escarres où l'on entre une main en profondeur jusqu'à l'os, qui « bouffent » les fesses, les cuisses et la moitié du dos. (Même dans mes livres de médecine je n'ai vu pareille atrocité.) Certains sont couchés là depuis presque deux ans, sans être jamais sortis de leur lit ! Ils « marinent » dans leur pourriture sur laquelle on verse de temps en temps du mercurochrome, quelques antibiotiques. Jamais on ne les a mis debout, jamais on ne leur a fait la moindre mobilisation. On n'a absolument rien tenté pour cicatriser les escarres ou empêcher qu'elles ne s'aggravent.

Je provoque au plus tôt une réunion avec les médecins et les infirmières afin d'expliquer les soins élémentaires à donner à ces malades. Il s'ensuit une longue discussion avec les équipes soignantes. Je fais quelques propositions de fortune... et, de la part de l'un des médecins — grand spécialiste de la médecine de rééducation au Liban —, je sens une certaine réticence. Ma présence paraît curieusement le contrarier. Ai-je eu le tort de dire que j'appartenais à l'O.M.S. (Organisation mondiale de la santé) en tant que consultant ? L'O.M.S. dépend de l'Organisation des Nations unies. Celle-ci serait-elle mal vue par cet homme ?

Seulement, les infirmières, elles, ont besoin de moi : elles sont depuis longtemps responsables de ces blessés et voudraient bien les voir évoluer. Seulement, les blessés m'attendent, ils me tendent leur souffrance, je les regarde... En les regardant je me dis que, s'ils sont dans un tel état, c'est aussi parce qu'« on n'a pas voulu s'occuper d'eux ». Et, si l'on n'a pas voulu s'occuper d'eux, c'est pour une raison qui n'a rien de médicale. Dans cet hôpital l'argent ne manque pas, les médecins et les médicaments non plus ; les infirmières et les rééducateurs, on peut en trouver ou en former. Mais il y a une « volonté farouche de ne rien faire ».

La véritable raison, c'est qu'en laissant les blessés dans cet état d'abomination, on entretient l'animosité, l'agressivité, l'esprit de revanche dans la population chrétienne. Aussi laisse-t-on cette haine purulente ronger le corps de ces jeunes gens.

De retour dans la montagne, j'essaie d'entrer en contact avec les correspondants de presse de l'A.F.P. et de France-Inter. Dans mon esprit s'est ancrée définitivement la volonté de soigner, tant du côté chrétien que du côté musulman, afin de ne plus entretenir cette haine. Ces journalistes, qui ont une bonne connaissance des problèmes du pays et des différents mouvements, pourront certaine-

ment me donner des explications et les conseils nécessaires.

Mardi 21 décembre
Beït Chebab.
Je fais un cours au personnel médical sur les questions :
Qu'est-ce que la paraplégie ? Qu'est-ce que l'infection uri-
naire ? l'incontinence urinaire ? l'atrophie musculaire ?
Comment doit-on rééduquer un paraplégique ? Comment
soigner les escarres ? Puis je demande qu'on me présente
le matériel médical.
Ce que l'on me présente, c'est un local avec des lits. Il
n'existe aucun matériel de rééducation.
— Mais alors, que faites-vous comme rééducation ?
— Ah ! Eh bien, il y a un kinésithérapeute qui passe
une fois par semaine pour leur masser les jambes.
Autant dire masser des jambes de bois !
— Et de combien de fauteuils roulants disposez-vous ?
— Dans l'ensemble, tous les paraplégiques ont leur fauteuil roulant.
On me présente les fauteuils. Ils sont dans un assez
mauvais état, ce qui n'est pas trop grave, mais surtout
sans coussins. Les blessés sont donc assis à même le
siège, ce qui entretient et développe les escarres. (Je
demanderai à Gilbert de me mettre en contact avec un
fabricant de mousse pour me confectionner des coussins
le plus rapidement possible.)
Mon idée de soigner les chrétiens et les musulmans se
poursuit. J'ai rencontré le journaliste de France-Inter.

Celui-ci m'a donné sur le papier tous les contacts possibles avec le Croissant-Rouge palestinien et la Croix-Rouge internationale.

Mercredi 22 décembre

Au studio d'enregistrement de France-Inter, Jean Hoefliger, responsable de la Croix-Rouge internationale, et moi-même préparons une émission sur la guerre du Liban. Son passage sur les ondes est prévu pour le 31 décembre. Une équipe de journalistes est venue se joindre à nous : le responsable de France-Inter et le correspondant de l'A.F.P. Notre but est de sensibiliser l'opinion publique à la tragédie jouée quotidiennement sur cette terre. Avec Jean Hoefliger qui connaît l'ampleur des dégâts — son organisation est intervenue des deux côtés, chrétien et musulman —, nous évaluons les besoins en équipement et en matériel. Puis Jean Hoefliger raconte dans quelles conditions insensées il a dû travailler pendant les combats. Il enchaîne sur le désintérêt des grandes puissances pour ce pays — ce pays où chaque heure qui passe est une question de survie ou de mort. L'émission est enregistrée, puis la bobine s'en va en France.

Dans cette bobine nous avons mis en cause la non-intervention de la France au niveau sanitaire (à part seize tonnes de médicaments dont les industries pharmaceutiques ne savent que faire mais dont elles se servent comme d'une publicité). Rien d'efficace au niveau des spécialistes de la rééducation, des assistantes sociales, des gens pour prendre en main non pas les blessés

Transat 1976 sur le "Rara Avis".

Michel Jaouen.

Page précédente :
Patrick Segal jouant au tennis.

immédiats mais ceux qui, blessés longtemps auparavant, ont besoin d'une rééducation.

Sur ce problème des blessés immédiats ou de longue date, je m'explique : « Médecins sans frontières » a tout de suite envoyé son équipe de chirurgiens et de médecins soigner sous les bombardements. Mais, une fois ces premiers soins donnés, les blessés ont été envoyés chez eux ou dans des centres où aucune rééducation n'est faite. Ainsi me suis-je retrouvé, en arrivant ici, au chevet de centaines de blessés n'ayant reçu aucun soin depuis leur évacuation du champ de bataille. Nous voulons sensibiliser, par cette émission[1], la France et les autres pays de la Communauté.

Quelques bougies, un arbre de Noël bien planté au milieu de la grande salle de Beït Chebab, où les malades et le personnel sont réunis. Tambourins, chansons françaises et arabes, buffet garni, infirmières qui dansent, sœur Véronique au piano : une vraie petite fête de patronage. Au loin, des rafales de mitraillettes. Tout le monde rit et danse, applaudit en rafales plus fortes encore.

Souvent un blessé s'approche de moi — il a seize, dix-sept ans, vingt-cinq ans au plus — et me glisse quelques mots à l'oreille. Des questions, toujours les mêmes, auxquelles je réponds tout au long de la fête. Des paroles angoissées et blanches comme la nuit : « Est-ce que ma vie est finie ? Qu'est-ce qui va se passer ? Est-ce que je vais marcher ? Est-ce que je pourrai faire l'amour ? Est-ce qu'un jour, n'importe quand mais un jour, je guérirai ? »

_____
1. La bobine sera jugée « de très mauvaise qualité, donc inexploitable ».

Jeudi 23 décembre

Quelqu'un a traversé la rue, s'est approché de moi et m'a murmuré quelques mots — dans sa tête il voyait un soldat blessé. Il m'a glissé dans la main une livre libanaise. Je l'ai regardé, confus, jusqu'à ce qu'il ait disparu dans une boutique.

Vendredi 24 décembre

Soirée de Noël chez les Yared. Tout le monde se prépare pour la messe de minuit qui aura lieu à l'église voisine, l'église Saint-Pierre-et-Saint-Paul. C'est le premier Noël depuis la guerre. Une foule très nombreuse se presse et se tasse sur les bancs. Les femmes sont vêtues de noir. Le sermon est très simple et sage : il appelle les fidèles à l'amour, essayant d'oublier les actes de guerre et de haine. Le chœur d'enfants est d'une grande beauté ; la soliste a des sanglots dans la voix. Je suis heureux de pouvoir partager leur communion. Parfois des fidèles se retournent et me regardent, ne sachant trop qui je suis. Je me retourne aussi, j'écoute la soliste et les chœurs, attentif au moindre son, guettant tous les bruits, scrutant, fouillant l'ombre. Les rumeurs d'un éventuel plasticage ont couru dans la soirée. On parle de représailles contre cette église située dans un village chrétien.

Finalement, la cérémonie se termine, les portes s'ouvrent et tout le monde se sépare. Les Yared et moi rentrons au château Boustany. Au pied du sapin je trouve un livre, *Lumière du Liban* : quand le Liban et Beyrouth se reposaient encore au bord de la Méditerranée.

Les quelques chocolats accrochés à l'arbre comme des perles ont été dévorés par les chiens.

Lundi 27 décembre

A l'Hôtel-Dieu (grand hôpital du centre de Beyrouth, côté chrétien), je rencontre la directrice de l'école d'infirmières. Je propose de donner bénévolement des cours sur la rééducation des handicapés à ces jeunes filles qui, dans quelques mois, une fois terminées leurs études, devront s'occuper des centaines de paralysés de la guerre du Liban. Mon offre de services est acceptée.

Mardi 28 décembre

Je retourne à l'hôpital Dar el Bache pour donner des cours aux rééducateurs. Je leur confie toutes les techniques que j'ai apprises au Viêt-nam, aux États-Unis, en Australie, etc. : lever les malades pour prévenir les escarres, en les mettant dans un cadre de posture ; utiliser les spasmes musculaires pour empêcher l'atrophie. Je ferai confectionner des cadres de posture[1], en bois ou en métal, par Gilbert. Ce sera une véritable révolution pour ces malades couchés depuis deux ans. Ils se retrouveront

---

1. Mini-barres parallèles permettant à un paraplégique ou à un tétraplégique de tenir debout, en appui sur ses jambes, celles-ci étant serrées entre deux sangles.

debout, deux heures par jour au minimum, ce qui réduira d'autres problèmes liés à la cicatrisation, telle l'incontinence urinaire qui souille perpétuellement les blessures.

Mercredi 29 décembre

Soirée en ville chez les Libanais chrétiens qui se sont « absentés » à Paris le temps des combats. Ils nous racontent les nombreux problèmes de leur installation à Paris : difficiles accords des rideaux avec la moquette et autres fariboles. Leïla, qui a vécu les combats et la peur, est outrée, déçue, écœurée.

Jeudi 30 décembre

Grâce à Leïla, j'ai réussi à avoir une entrevue avec le président Sarkis. Cet « homme de dossier », cet homme de dialogue, apparaît comme l'homme fort, le médiateur qui peut mettre un terme aux troubles sanglants et reconstruire le pays. Ce président, de famille chrétienne maronite, vient de former le premier gouvernement de son sextennat, un cabinet de technocrates que préside le musulman Selim al Hoss. J'attends de lui les moyens financiers et les autorisations nécessaires pour lancer un grand mouvement de rééducation et de réinsertion des blessés.

La route qui mène au palais présidentiel longe le camp palestinien de Tall el Zaatar, qui signifie en arabe « la Colline des oliviers »... A l'approche du palais, les véhicules sont fouillés. Quelques photographes et journalistes essayent d'intercepter les visiteurs. Puis le palais apparaît : une bâtisse moderne construite en 1971 par des architectes suisses.

Nous pénétrons dans le salon où l'on nous sert le café. Leïla est accompagnée du frère du président. Après une courte attente, un planton nous fait entrer dans son bureau. J'ai gardé mon blouson de cuir comme pour le baroud ; le président, lui, est en complet gris anthracite, il porte des lunettes carrées. On nous sert à nouveau le café puis, face à la carte du Liban, nous échangeons quelques mots. Le président semble discret, fidèle au portrait que l'on m'avait décrit : « pointilleux, goût du labeur acharné, érudit, intégrité proverbiale ».

Le président attend mes questions. « Je pense, monsieur le Président, que vous n'êtes pas sans connaître le but de ma mission... » et j'expose les points importants. Le président s'est un peu penché ; il écoute avec une extrême attention.

— Que puis-je faire pour vous aider ?

— Un recensement des blessés apparaît indispensable car je n'ai rencontré que quelques dizaines de grands traumatisés dans les différents hôpitaux de la zone chrétienne. Beaucoup sont retournés dans leur famille sans soins médicaux, sans espoir aucun de s'en sortir. Il faudrait créer un système d'assistance à domicile par des infirmières et des médecins qui effectueraient des tournées. Je ne pense pas, à moi tout seul, superviser un aussi vaste territoire ; les moyens matériels et le temps dont je dispose sont insuffisants. Un an depuis le début des hostilités et personne encore ne s'est réellement préoccupé du devenir de ces combattants. Des architectes français viennent d'arriver à Beyrouth. Vont-ils se soucier de récréer une ville humaine tenant compte de cette nouvelle différence ? Vont-ils penser en humain avant de vouloir faire de l'art pour l'art, de l'escalier à outrance, des niveaux infranchissables, une architecture d'obstacles tellement à la mode ?

Mes questions s'enchaînent et les problèmes du Liban rejoignent ceux du Viêt-nam, de Caracas, de Paris, et sans le vouloir j'abolis les frontières, les races, les religions, pour chercher les solutions à ce quart monde exclu de la vie en marche.

Le président me répond qu'il étudiera profondément ce problème avec son cabinet ministériel mais que, d'ores et déjà, des postes sont prévus pour les handicapés dans l'administration.

Notre entretien aura duré en tout trente minutes. Quand nous nous séparons, cet homme grand et digne me tend la main. Je me sens accablé par tous ces mots que j'ai dû prononcer et tous ceux que je n'ai pas dits. J'ai l'impression de n'avoir pu que lui serrer la main. Nous nous éloignons. Le président a l'air d'une forteresse perdue au milieu d'un pays en ruine.

Vendredi 31 décembre

Je passe l'après-midi au soleil dans la montagne, auprès des pistes, à regarder les skieurs qui descendent. Un instant, j'oublie la guerre. Rentré au château, je dis à Leïla ma volonté d'aller soigner du côté musulman. Leïla s'emporte et me traite de gauchiste. J'attends...

Il est 19 heures. J'attends que le chauffeur qui remplace

Robert m'emmène du côté ouest (côté musulman), à l'hôtel du Coral Beach où se trouvent les correspondants de la Croix-Rouge internationale et Jean Hoefliger avec qui j'ai rendez-vous.

19 h 30 : j'apprends que le chauffeur, plus prudent que Robert, refuse de m'y conduire. Leïla, elle aussi, se dérobe : des rumeurs alarmantes courent en ville. Personne pour m'accompagner. Je décide alors de descendre jusqu'en bas de la route à la station de taxis, mais pas un n'accepte de passer à l'ouest. De nouveaux accrochages seraient prévus pour cette nuit, me disent-ils. Finalement, Leïla consent à m'emmener.

Dans la voiture, elle me parle des enlèvements qui se produisent tous les jours. J'essaie de la rassurer en lui disant qu'un journaliste de l'A.F.P. rencontré la veille m'a affirmé que tout serait calme.

Au premier barrage, le barrage syrien du camp de la Quarantaine, des rafales de mitraillette éclatent autour de nous, des balles traçantes transpercent la nuit. Un second barrage au port, puis nous arrivons sur la place des Canons, déserte et plongée dans l'obscurité. Leïla n'est pas tranquille. Au troisième barrage, on vérifie nos identités. Le coffre est ouvert, la voiture fouillée, presque déshabillée. Nous sommes seuls dans le centre au milieu des ruines. Au quatrième barrage, des balles sifflent au-dessus de nous. Le soldat de faction à l'entrée de la Croix-Rouge essaye de nous faire peur. Heureusement je le connais... J'entre dans l'hôtel du Coral Beach ; j'y passerai cette nuit du 31. Leïla s'en retourne seule au château Boustany et refuse de se faire escorter.

Au cours de la soirée, les Suisses, d'ordinaire peu bavards, me racontent l'attaque du camp de Tall el Zaatar : les blessés achevés dans les ambulances ; les trois mille morts qui gisent sous les décombres ; la répression, les médecins phalangistes transformés en francs-tireurs, puis le massacre de Dhamour par les Palestiniens, massacre qui s'est propagé en raison du pillage. J'en apprends tous les jours un peu plus sur les atrocités. Il y a eu plus de morts du côté musulman que du côté chrétien, cinq fois plus environ. Les combattants chrétiens, mieux organisés, mieux équipés peut-être, ont rapidement décimé les tireurs palestiniens dont beaucoup étaient des adolescents. Des enfants de onze, douze ans participaient au combat.

L'un de mes patients de Beït Chebab a eu l'épaule emportée par un tir de mitrailleuse antiaérienne.

Des rafales de mitraillette percent le silence de la nuit, comme pour saluer le début de l'année nouvelle.

Samedi 1ᵉʳ janvier

A 10 heures du matin, Robert le chauffeur-tireur d'élite vient me rechercher à l'hôtel de Coral Beach. J'ai rendez-vous à l'hôpital Risk avec le ministre des Affaires sociales, le Dr Hassad Risk.

Nous évoluons dans l'hôpital, au milieu des verres cassés et des trous d'obus, à la recherche du docteur. Mais celui-ci a dû s'absenter, nous dit-on. Aussi, malgré les recommandations de prudence des médecins de la Croix-Rouge, nous partons pour le camp de Tall el Zaatar.

Je fais le tour du camp au milieu des ruines funèbres qui se découpent et semblent déchiqueter le ciel bleu. Je sors un boîtier et prends quelques clichés de ce lieu sinistre. Un enfant joue avec un vélo cassé. Je me recule pour fixer d'autres images et ne vois pas un énorme trou d'obus derrière moi : je bascule sur le côté et m'affale avec mon fauteuil. Heureusement, j'ai eu le réflexe de protéger mon appareil. J'explore les ruelles, les maisons hachées par les rafales de mitrailleuse. Sur un mur sont affichés les portraits des combattants morts pour défendre le camp. Du linge sèche devant une maison éventrée. De temps à autre, un enfant surgit d'entre les pierres ; il fouille dans cette terre gluante. Cinquante mille personnes en tout auront payé de leur vie cette guerre du Liban, et que reste-t-il par ce froid samedi ? Des maisons éventrées, des maisons sans cœur, que traverse un vent glacé. A aucun moment les fidèles de l'église ou de la mosquée ne se sont posé le problème de Dieu, de leur Dieu.

Lundi 3 janvier, 17 h 30

Une formidable secousse vient d'ébranler le centre de Beyrouth dans le quartier d'Accaoui. Dans un rayon d'un kilomètre, toutes les vitres ont sauté ; l'immeuble des Kataeb était visé. Sous les décombres de la rue on relève trente-cinq corps déchiquetés par cinquante kilos de dynamite. La charge était enfouie dans les égouts. Qui sera la prochaine victime de ces règlements de comptes sauvages ? Beyrouth s'apprête à revivre des heures sombres, tendues, blêmes.

La nuit à Beït Chebab est très froide. De la ville nous parviennent des bruits feutrés de panique. La radio et la télévision ne font état que d'incidents légers ; les journaux en langue arabe, en revanche, relatent pleinement le nouvel événement. On sait que depuis deux semaines les Syriens ont muselé la presse. Toute personne qui tenterait d'entrer dans les locaux de son propre journal serait arrêtée. Une exception à cette censure draconienne : les Américains. Ceux-ci peuvent, sur présentation de leur passeport, aller et venir en tous lieux, faire leur travail d'information.

Mardi 4 janvier

Tout semble calme après l'explosion d'hier après-midi qui a fait trente-cinq morts et cinquante blessés. Une voisine de vingt ans et sa tante ont été déchiquetées alors qu'elles passaient devant l'immeuble des Phalanges. Tout repose en silence sur des mètres et des mètres. Les cendres des immeubles sont mêlées aux cendres des passants.

« Le terrorisme va-t-il reprendre ? » Leïla me pose vingt fois la même question. Je n'ose lui répondre par l'affirmative, mais je suis sûr que les heures et jours à venir auront ce goût de cendre.

Des bourrasques de vent chargées de neige fondue balayent le château Boustany. Après les douze coups de minuit, soudain un treizième coup, puis un autre et encore d'autres éclatent avec une violence inouïe. Plastic ou obus de 105 ? A chaque fois la maison, pourtant bien accrochée à la colline, se met à vibrer. Une nouvelle explosion ébranle toute la demeure.

184

Mercredi 5 janvier

Karim, le fils des Yared, me confie avoir plongé sous son lit dès la première décharge. C'est pourtant auprès de lui que je cherche les renseignements quant à la nature des explosions. Dix-huit mois de guerre l'ont rendu expert. Il opte pour des charges de plastic.

J'apprends un peu plus tard qu'on avait placé celles-ci dans des voitures. De la pharmacie, du dépôt de médicaments de la Croix-Rouge d'Ain Arr, il ne reste plus rien.

Toujours sans nouvelles du Dr Majzoub, responsable musulman de la Croix-Rouge internationale. Il devait m'emmener en zone ouest visiter un centre de rééducation en construction et avait répondu favorablement à mon désir d'aller donner des cours dans les hôpitaux musulmans. Depuis, il demeure insaisissable, comme s'il me fuyait.

Je ferais bien un tour au Coral Beach, mais Leïla s'y oppose fortement. Il faudrait franchir la ligne de démarcation, traverser le quartier où a explosé la bombe, puis tout Beyrouth, alors qu'à chaque instant on peut être pris dans la lunette d'un tireur ou sauter sur une mine. C'est cela la guerre civile ! Tout peut arriver. Faire ses courses et... trente-cinq morts et cinquante blessés autour de soi. Il n'y a pas de taxi et le chauffeur remplaçant Robert (parti pour je ne sais quelle mission) pense « à sa femme et à ses enfants ».

La ligne de téléphone du château étant coupée, je descends téléphoner dans l'ancien appartement des Yared, situé sur les hauteurs de Beyrouth. L'appartement est intact, mais la façade est très abîmée. Le gardien, placé là pour empêcher que des squatters ne s'y installent, a décoré un arbre de Noël. Une forte odeur de renfermé imprègne les pièces. Dans la pâle lumière des ampoules nues, je regarde les objets d'une vie familiale : un tableau, quelques jouets, des photos. Sous la couverture bleue du lit je sens la crosse d'une carabine.

J'appelle le Coral Beach, l'Hôtel-Dieu, l'A.F.P., et là, d'un seul coup, j'apprends que mon dernier colis contenant plus de cinq cents photos (dont celles du camp de Tall el Zaatar) n'est pas encore parti. Le messager qui devait les rapporter à Paris l'a oublié. Les voitures et leurs occupants étant sytématiquement fouillés depuis deux jours, mes photos risquent fort d'être détruites. Prisonnier depuis vingt jours entre quatre murs de frousse et d'incompétence, je laisse exploser ma colère.

Avec la pluie et la neige, les barrages des « cow-boys » phalangistes ont disparu (je les appelle ainsi parce qu'ils sont très jeunes et portent un chapeau de cow-boy). C'est, pour ces jeunes de quinze, seize, dix-huit ans, la vraie, la grande vie. Il n'y a plus d'école depuis dix-huit mois. Le revolver au ceinturon — ou la mitraillette — ils s'en vont « frimer », « rouler des mécaniques », comme dans un western.

J'ai dans la tête l'ouverture d'un nouvel opéra tragique. Les premières notes de l'hymne libanais, jouées par la radio de Leïla dans le grand salon, se font entendre : le rideau va se lever. Les dix-huit mois de guerre n'étaient sans doute qu'un prélude.

186

Jeudi 6 janvier

La neige a recouvert le parc du château Boustany. Perdu dans sa solitude, il ressemble au fort du *Désert des Tartares*. Pas un souffle de vent dans les pins saupoudrés de neige et, tout au fond, dans l'irréel, le bleu de la Méditerranée. J'ai rendez-vous à l'hôpital Dar el Bache pour une mini-conférence avec le personnel, les infirmières et les kinésithérapeutes. Ceux-ci semblent avoir compris l'étrange attitude de leur médecin-chef.

En sortant du village d'Ain Arr, un barrage de « cowboys » qui inspectent dûment mon passeport. Leurs sourcils se froncent. Certains visas se chevauchent : le Liban avec Singapour, la Chine avec l'Amérique. Après deux ans de voyage il n'y a plus une seule page de libre.

Nous progressons lentement sur la route rendue glissante par l'épaisse couche de neige. Suant, haletant, criant je ne sais quoi, un bataillon en manœuvre débouche d'un chemin creux. Les malheureux porteurs de fusil ne peuvent s'empêcher de faire des boules de neige. Ils courent en rang, puis s'échappent, retournent dans le rang. La farce continue...

Il grêle en arrivant à l'hôpital. Le chauffage est en baisse, le moral aussi. Je commence ma mini-conférence, mais elle dure deux bonnes heures. Ensuite, a lieu la visite des malades. Eli, un garçon de vingt ans blessé pendant les événements, me raconte les combats à la mitrailleuse antiaérienne, « d'une pièce à l'autre des maisons » ! L'infirmière enlève les compresses, les champs américains, et découvre trois escarres gigantesques, chacune de la taille d'une soucoupe à café et profonde de plusieurs centimètres. Les deux trochanters sont touchés. Le sacrum est presque à nu. Voilà un an qu'il est au lit sans raison apparente, et jamais dans l'esprit du médecin « responsable » un programme de soins anti-escarres n'a été établi.

Je le fais mettre debout, sanglé aux cuisses, au pied du lit. Il s'étonne de la facilité avec laquelle il se retrouve là, après un an de position assise et couchée qui lui a provoqué ces énormes plaies. J'établis un programme rigoureux pour lui et les autres malades, consistant en deux heures par jour de position verticale puis de position à plat ventre. Grâce au chariot à roulettes que je ferai fabriquer par le soudeur de l'usine de Gilbert Yared, il pourra au moins aller au réfectoire, se promener dans l'hôpital, rencontrer d'autres malades. Il ne sera plus confiné comme un animal moribond. Il me reste à acheter de la mousse pour réaliser un matelas modulaire[1] qui évitera les points de contact et de nouvelles plaies.

La colère me saisit en quittant ce jeune homme qui paie sans doute de sa vie une guerre absurde.

Je repasse par les hauteurs de Beyrouth, dans la maison de Leïla, pour téléphoner. Notre ligne ne fonctionne toujours pas. Je m'installe devant la cheminée. Un instant, je repense à ce que j'ai vu, à tant d'incompréhension de tous côtés, et une immense fatigue me prend. Mais je dois préparer mes cours pour les élèves infirmières de l'Hôtel-Dieu. J'apprends par la radio que trente musulmans ont été exécutés dans un village en contrebas, en représailles à l'attentat du lundi 3.

---

1. Matelas découpé en blocs que l'on peut espacer.

188

La neige s'est remise à tomber. Je vais faire un tour sur la terrasse avec Nadia la cuisinière et Asmen le serviteur soudanais. Asmen fait, avec la neige, de grosses boules blanches qu'il tripote entre ses mains immenses et noires. Je l'aime bien, Asmen. Sa nonchalance est celle d'un prince ; jamais il ne se presse. Il arrive d'une démarche souple dans le grand salon pour apporter les consommations, puis repart de même, sans aucune parole, sauf une chanson qu'il « mâchonne » perpétuellement. Une vieille chanson qui parle de son pays, du soleil, de la liberté, de l'amour.

Vendredi 7 janvier

Au milieu des champs de neige, Beyrouth apparaît comme une tache sombre, un puits de misères. De gros nuages noirs menacent de crever sur la ville. La Méditerranée a pris la couleur d'une olive.

A l'Hôtel-Dieu il y a du monde. La directrice de l'école d'infirmières a convoqué toutes les écoles de la zone ouest. Au milieu de toutes ces jeunes filles libanaises aux grands yeux noirs mystérieusement ombrés, on aperçoit quelques cornettes. Cette fois encore, la conférence durera deux heures, suivie d'une avalanche de questions. La classe finie, le silence retombe, brutalement. Quelques élèves viennent me demander des explications supplémentaires. Leurs regards vont au fond du mien, leurs lèvres sont épaisses et bien dessinées ; en parlant elles roulent un peu les r. Le groupe de troisième année me réclame une seconde conférence.

C'est de cette jeunesse-là que nous avons besoin pour construire le Liban de demain. Ces jeunes filles sont concernées par ce problème. Elles ont eu un père, un frère ou un ami blessé dans cette guerre. Leur bon sens, la douceur de leur regard, la détermination dans leurs paroles et dans leurs gestes balaieront sans doute la mégalomanie des pseudo-médecins et des politicailleurs.

En quittant l'Hôtel-Dieu, je suis abordé par une dame — d'origine anglaise, je présume — qui insiste pour que je vienne chez elle. Elle désire, me dit-elle, que j'inspecte le matériel médical qu'elle a rapporté d'Angleterre. Elle monte dans sa petite Austin. Je la suis difficilement dans le trafic intense de la journée. On a placé un barrage non loin de chez elle. Nous sommes à deux pas de l'immeuble de la S.K.S. où a eu lieu l'attentat de lundi.

Au rez-de-chaussée de son immense maison, froide en raison de l'absence de vitres (tous les carreaux ont sauté sous la violence de l'explosion), je subis le flot de ses questions. Ensuite, elle me déballe ses stocks rapportés d'Angleterre.

— Manifestement, lui dis-je sans détours, on vous a refilé de vieux stocks.

Déçue par mon scepticisme, elle m'agresse et, soudain, je réalise qu'elle m'a attiré là pour me soutirer un tas de renseignements, jusqu'à mes rendez-vous avec les différents ministres et responsables médicaux de la zone ouest. Est-ce une espionne ? Une forme nouvelle de Mata-Hari ? Pas du tout. Son dessein à elle est de devenir le sauveur des pauvres handicapés : une super-dame patronnesse. Elle ignore tout de la rééducation mais compte sur la situation

190

Camp palestinien de Tall el Zaatar.

Page suivante :
Patrick Segal dans le désert du Sinaï, 1978.

de son mari, un puissant industriel, pour les faire remarcher. Il serait temps de court-circuiter toutes ces bonnes « dames-bonbons » et leurs initiatives privées, pour lesquelles les handicapés ont remplacé les petits orphelins de naguère.

Je remonte en vitesse chez Leïla qui doit m'accompagner à l'hôpital Risk où j'espère enfin rencontrer le Dr Hassad Risk, nouveau ministre des Affaires sociales.

Dans la cour de l'hôpital je contourne le trou laissé par l'obus qui, il y a quelques jours, a détruit une ambulance. La porte des « urgences » a été criblée de balles. Malgré l'heure des visites, tout est silencieux. Il fait froid dans le bureau du ministre, qui occupe le poste d'urologue et qui, il y a vingt ans, « s'occupait de l'hôpital de Fontainebleau » ! Je lui expose les raisons de ma venue et ce que je souhaite. Hassad Risk me répond qu'une décision de regrouper les six ministres autour du problème des handicapés vient d'être prise. Sa position sera d'établir le contrôle de la médecine, tant du côté chrétien que du côté musulman. Il ne me cache pas qu'il serait bon d'écarter les médecins incompétents. Sur cette mesure, je suis sceptique car ceux-ci occupent parfois des postes importants. Notre conversation est malgré tout intéressante. Son expérience donne un peu de poids et d'authenticité à ses paroles. Nous décidons de nous rencontrer à nouveau après la réunion ministérielle.

Ce soir, j'invite Leïla au restaurant dans la baie de Jounieh : un bistrot sur la plage, dans une cabane aménagée. La nourriture y est bonne et simple. Autour de nous, les tables sont occupées uniquement par des hommes.

Trois heures du matin. Une explosion vient de retentir à quelques centaines de mètres. Je sors de mes couvertures et j'apprends que c'est l'œuvre des phalangistes. Ils viennent de faire sauter la pharmacie du village, qui appartiendrait à un membre du Parti progressiste syrien. Quelques rafales de mitraillette. La nuit se réchauffe auprès de l'incendie sans cesse attisé par les bouteilles d'oxygène du laboratoire.

Samedi 8 janvier

En regardant et en écoutant certains « grands reporters », il m'est venu ce moment d'humeur :

Je pense que Leïla et ses enfants mettent plus souvent leur vie en danger que la plupart des reporters venus en groupes fouiller dans les ruines de Beyrouth. Qu'à tous les fantoches en treillis bardés de boîtiers et racontant leur guerre aux hôtesses de l'air, je préfère la discrétion d'un Depardon ou le sourire un peu timide de Francis qui, après avoir fait la « une » de *Paris-Match,* la laisse enfouie dans le monceau de pellicules et de boîtes qui encombre sa voiture. Que les reportages les plus dangereux ne sont pas forcément ceux qui font le plus de bruit (Michel Laurent mort dans une banlieue de Saigon). Que si les salles de bains d'hôtels pouvaient parler, elles nous diraient comment un robinet, une chasse d'eau deviennent un élément de studio d'enregistrement. (Même dans les coups durs, certains ne peuvent s'empêcher de travailler en « play-back ».)

A côté de ces chevaliers de la plaque sensible et des

pleureurs d'informations branchant leur micro comme une grenade dégoupillée, combien de grands noms plongés au cœur de l'action, pudiques et discrets, simples témoins à la recherche de vérités !

On ne va pas, comme Saussure, courir les guerres « parce qu'elles sont là[1] », mais pour témoigner et donner aux victimes un certain droit de réponse.

Dans le regard de l'enfant à la bicyclette du camp de Tall el Zaatar, il y a plus d'horreur et de désolation que dans certaines images teintées de sang.

Lundi 10 janvier
Hôpital de l'Hôtel-Dieu.
Je donne un cours sur les traumatismes de la moelle épinière aux élèves infirmières de première année. Ce cours est suivi d'une discussion avec les élèves de troisième année puis, à la cafétéria, avec les médecins neurologues, les chirurgiens plastiques, les chirurgiens des os et d'autres. Dans l'ensemble, les questions sont intéressantes. Nous prenons rendez-vous pour dans quelques jours.

Toujours « accroché » à cette possibilité de donner des cours côté musulman, je cherche désespérément le Dr Majzoub qui est la clef de la zone musulmane. Une partie de mon séjour pourrait s'intituler : *A la recherche du Dr Majzoub !*

---

1. Quand on demandait à H.B. Saussure pourquoi il gravissait les montagnes, il répondait : « Parce qu'elles sont là ! »

Mardi 11 janvier
Beït Chebab.

Très tôt le matin, une lumière glacée descend sur le carrelage de ma chambre. Dans un demi-sommeil, je remarque combien le sol est brillant. Je me rendors et me réveille à nouveau. La neige ayant fondu dans les gouttières, l'eau s'est infiltrée et a recouvert le carrelage. Dix centimètres d'eau par 0° ! Je prends mon courage à deux mains et patauge jusqu'à la grande salle où le niveau a baissé.

Tout est calme sur la zone ouest depuis la décision, de part et d'autre, de ramasser tout l'armement. Cette tentative de désescalade est pourtant vouée à l'échec. On ne sent cette volonté de paix ni « de part » ni « d'autre ».

C'est aujourd'hui mon premier contact avec les médecins de l'Ouest. Le Dr Barudi m'attend à l'hôpital Berbir. Voilà des semaines que nous essayons d'entrer en contact.

Dans le hall de l'hôtel, en partant, je tombe à nouveau sur mon « espionne » qui essaie encore de me soutirer un tuyau médical. Je lui glisse le mot xylocaïne qu'elle me fait répéter trois fois. Lorsqu'elle m'avait abordé et littéralement kidnappé à ma sortie de l'Hôtel-Dieu, elle m'avait déclaré, sans aucune gêne :

— Je suis comme la mouche, je me colle sur les gens.
Puis :

« J'ai surpris votre conversation avec le médecin. Pourrais-je venir à votre rendez-vous avec le Dr Barudi ? »

Je ne lui dis mot à ce sujet et je m'enfuis.

Il n'y a plus de voiture de la Croix-Rouge pour aller en

ville, aussi j'appelle un taxi. Longeant la mer, nous passons devant un petit marché aux puces où les Palestiniens revendent les fauteuils de bureau, les canapés et tous les objets volés dans les immeubles pendant les événements. Dans une boutique sont alignés une centaine de téléphones.

Cheveux poivre et sel rejetés sur le côté, le Dr Barudi est petit et mince. Formé à l'université de Beyrouth et recyclé à New York et au Danemark, ce spécialiste de médecine physique me paraît sympathique, et compétent. Il brosse un tableau de la situation médicale assez déprimant. Le nombre de paralysés de cette zone est évalué à trois cents au minimum. Aucun centre n'a pris en charge ces gens qui, selon lui — à la différence de ceux de la zone chrétienne —, n'étaient pas des combattants mais des innocents soutenus par aucun parti politique. (Mais chaque camp me fera cette même réflexion). Le Dr Barudi continue son constat :

— Quelques paraplégiques, une trentaine, ont été correctement rééduqués. Hélas, les problèmes que leurs soins ont posés au service et à l'administration hospitalière ont arrêté le programme et le développement d'un centre spécialisé.

Le docteur est aussi pessimiste quant à l'équipe ministérielle en place :

— Voyez-vous, me dit-il, dans six mois ou dans un an ces gens ne seront plus au pouvoir et seront remplacés par des commerçants ou autre chose.

J'essaie du moins de le convaincre :

— Le président Sarkis et le ministre Hassad Risk que

j'ai rencontrés m'ont paru tout à fait décidés à entreprendre un vaste plan de rééducation et de réinsertion des blessés de guerre.

Nous quittons l'hôpital Berbir pour aller visiter le centre de rééducation d'Ouzaï et empruntons de grandes avenues bordées de pins. Jadis cet endroit devait être fort agréable. A présent, les Syriens y ont installé leur campement : les chars ont tracé de larges tranchées dans la terre rouge. Un peu plus loin, j'aperçois le plus gros camp palestinien, le seul à ne pas avoir été rasé, le camp de Sabra. Les Palestiniens ont construit juste en face un petit hôpital : véritable blockhaus surprotégé de murs et de barbelés dans lequel travaillent des médecins et des chirurgiens de l'Europe de l'Est. Un mystère plane derrière ce bidonville où flotte une odeur de viande grillée.

Au centre d'Ouzaï, Amal Saadé, responsable de la rééducation, me fait visiter les installations. Construit au bord de la plage, ce centre donne d'un côté sur la mer, de l'autre sur le golfe de Beyrouth. Il est immense, agréable et bien équipé. Il pourrait fort bien accueillir les trois cents paraplégiques dont me parlait le Dr Barudi. Pourquoi ne l'a-t-on pas fait ? Je dis à Amal Saadé mon étonnement. « Je le souhaiterais également », me rétorque-t-il, laconique. Ses réponses sont en forme de questions :

— Qui paiera les traitements ? Qui trouvera le personnel nécessaire ? Qui reconstruira les routes, les ambulances, l'ensemble des moyens de transport ?

Je quitte le centre sur toutes ces interrogations.

Arrivé au Coral Beach, je rencontre Jean Hoefliger et

lui demande s'il peut me déposer à l'est, au centre de la
Croix-Rouge de Jounieh. Il s'adresse aussitôt à une jeune
femme en blue-jean, cachée derrière des lunettes noires.
Elle me dit d'abord quelques mots en arabe, puis elle continue en français :

— Je vous accompagne, me dit-elle.

Tandis que je boucle mon sac, dans la cour du Coral
Beach les voitures de la Croix-Rouge vont et viennent.
Leur grand drapeau blanc flotte lourdement dans l'air
chaud et humide de ce début d'après-midi. La voiture
dans laquelle je monte est criblée de balles au niveau des
portières. Deux autres femmes du C.I.C.R. nous accom-
pagnent. Après quelques mètres nous nous mettons à parler du Liban, puis du Viêt-nam, du Bangla Desh. Nous
voici en terrain de connaissance.

Rita — c'est le nom de la belle inconnue — enlève ses
lunettes noires et me regarde. Elle me dit quelques mots.
Un instant, le sens même de ma mission s'égare, je me
perds dans ses yeux.

III

La menace

Vendredi 14 janvier

Une vague de grippe a secoué le château Boustany, me laissant seul au pied de son grand escalier de marbre. Je décide de m'installer au Coral Beach pour plusieurs jours.

A onze heures, à la cafétéria de l'Hôtel-Dieu, je rencontre le Dr Daoud et un orthopédiste. Mes jeunes élèves viennent me saluer, un peu rougissantes. Je leur donne un cours puis nous montons voir Charles, un jeune paraplégique que je connais bien. Il doit subir des interventions chirurgicales pour ses escarres. Je le fais mettre à plat ventre. Au préalable, je leur ai montré comment l'on pose un « condom d'évacuation urinaire ». Il fait une chaleur à crever. Pendant que je donne les soins, sous le regard attentif des médecins et des infirmières, l'une d'elles m'éponge le front. Je corrige la position de

Charles : il devra rester allongé sur le ventre pendant de longues semaines. Afin de lui éviter au maximum les désagréments de cette position, je lui ferai fabriquer des gouttières plâtrées. Ainsi il pourra se mettre quelques heures debout au pied de son lit, bien sanglé.

Retour à la cafétéria, point de rencontre des infirmières et des médecins. Le rose descend lentement sur Beyrouth.

Ce soir, avant que le soleil ne vienne se glisser dans la mer, j'arrêterais bien ma course : ce soir, ma solitude de soigneur de fond me pèse tant ! Je me sens seul au milieu de la mort ; je cherche une main et il n'y a que cette main que je donne aux autres ; je cherche un regard.

Samedi 15 janvier

« Le Grand Inquisiteur avait condamné le poète à être pendu. Pour que le supplice soit plus grand, il l'avait attaché de telle sorte que le bout de ses pieds touche le sable. Le poète se mit en équilibre sur un pied et, de l'autre, dessina des souris... Les souris montèrent le long de son corps et rongèrent la corde. » Je lis et relis Malraux, *La Corde et les souris*. Je dessine des lettres sur ma feuille. Je forme des mots qui remontent le long de mon corps et me libèrent de mon angoisse. Je ne sens rien sous mes pieds...

Je téléphone en France. Miracle, ça fonctionne ! Et là, entre les mots, ceux du quotidien qui me surprennent toujours — « Le ménage a été fait dans ta chambre... », « Nous avons eu de la pluie hier à Paris » —, je ressens le poids de ma mission, le poids de tous ces enfants qui jouèrent à la guerre. Ces hommes à moitié éventrés et paralysés me sautent au visage comme la grêle qui semble mordre en ce moment la fenêtre du salon. Je dis que je rentrerai dans deux semaines, mais je n'en éprouve nulle joie, aucune excitation. Peut-être parce que dans deux semaines mes jeunes malades, ceux qui sont tombés à Ashrfieh ou à Tall el Zaatar, prendront plus encore conscience du vide, de l'énorme vide qu'il y a sous eux, en eux. Quand, tard dans la nuit, je passe près d'un lit, j'entends : « Patrick » et non « docteur » ou « Hakim », et je deviens leur berger. Je veille sur leurs sanglots. J'attends le jour avec eux. Bientôt je partirai mais je ne m'en sens pas le courage ni le désir. Tout au fond de moi, l'homme malade, l'homme couché que je fus me crie de rester.

Le Dr Majzoub, grâce auquel j'avais pu rencontrer le Dr Barudi, a de nouveau disparu ! Je rentre au Coral Beach. C'est l'heure de la sieste. De temps en temps, un Suisse ou une Danoise traverse le hall désert. Je prends ma clef à la réception et m'installe dans ma chambre. Par la large baie vitrée je regarde la plage. Deux miliciens en armes font les cent pas sur le sable. Je tourne le bouton de mon poste et écoute le bulletin d'informations. Aux dires du commentateur, « tout est calme » ; pourtant, j'ai un drôle de sentiment, une impression de malaise... Je regarde ma porte, je regarde les deux miliciens. Quelque chose ne tourne pas rond : j'ai l'impression que l'on m'écoute derrière la porte et que l'on me surveille de la plage. Soudain le téléphone sonne :

— Allô !

— Monsieur Patrick Segal ? Ici le docteur Bulle. (Le Dr Bulle est un Autrichien responsable médical de la

Croix-Rouge.) Surtout ne sortez pas de votre chambre. J'arrive dans cinq minutes.

Trois coups légers frappés à la porte. J'ouvre. Entre un homme d'une cinquantaine d'années, légèrement chauve, le regard protégé par des lunettes fumées. C'est la première fois que je le rencontre. A peine arrivé au milieu de la chambre, il me dit dans un anglais parfait, légèrement haché :

— Mon vieux, vous êtes foutu !

— Foutu... ? Je ne vous comprends pas.

— Vous vous êtes enfoncé dans une drôle de mélasse. Je viens d'apprendre par notre service de renseignements que vous étiez accusé d'espionnage.

— D'espionnage ? Mais que voulez-vous ?...

— Laissez-moi parler ! C'est sérieux et très grave. Vous vous êtes conduit comme un inconscient, et ces gens-là ne plaisantent pas.

— Mais qui sont ces gens ?

— Ça, je ne peux pas vous le dire. Mais sachez que, si dans les heures qui viennent vous n'avez pas quitté le pays, ces « gens-là » vous tueront... Voilà, j'ai terminé ce que j'avais à dire. Réfléchissez bien. Je dois vous quitter. J'ai déjà passé trop de temps avec vous.

Le Dr Bulle se lève et, avant de refermer la porte, me donne ce dernier conseil :

— Ne répondez à personne ; gardez fermées votre porte et vos fenêtres ; n'allumez pas vos lumières.

Le silence est retombé sur le drap glacé du lit. Je reste là, épiant le moindre bruit, le moindre pas. Le soir tombe lentement. Les ombres envahissent l'hôtel. Ne pouvant sortir de ma chambre, je me couche sans dîner. Je pousse le lit dans le coin le plus reculé de la chambre, en angle mort par rapport à la fenêtre. Qui sont ces « gens-là » ? Un nom me vient, je le chasse ; il revient ; je ne peux pas écarter ce personnage de ma tête. Plusieurs fois je me redresse : c'est peut-être lui !

La nuit est venue. Ma dernière nuit peut-être. Je touche mon front ; peut-être est-il en ce moment dans la lunette d'un fusil ? Et que fait Leïla ? Ses enfants doivent dormir. Ils me manquent en ce moment de point limite. Je devrais dormir moi aussi, être prêt à affronter cette mort qui musarde dans les couloirs...

Dimanche 16 janvier

J'essaie toute la matinée de joindre Jean Hoefliger et le Dr Bulle, mais en vain. Je décide alors de sortir de ma chambre. En prenant l'ascenseur, je sens une présence dans mon dos, des pas feutrés sur la moquette. Les garçons d'étage me regardent d'une drôle de manière. J'arrive à ma table et hésite avant de toucher à ma nourriture. Le kebbé est là, succulent et comme un supplice de Tantale. « Et puis merde ! Je ne vais quand même pas le faire goûter par un serviteur, comme dans l'Antiquité ! S'ils veulent ma peau, qu'ils la prennent ! Ils ne seront pas les premiers. »

En fin d'après-midi, le Dr Bulle me fait une visite.

— Veuillez m'excuser pour hier si je vous ai parlé un peu brutalement, mais il le fallait. De nouveaux renseignements le confirment : il faut que vous quittiez ce pays le plus vite possible. J'ai pris des renseignements sur vous. Certes, vous ne nous avez pas menti, et pourtant... Pourtant hier, à sept heures du soir, vous n'étiez pas dans votre chambre comme je vous l'avais recommandé. J'ai fait mon enquête. Le garçon d'étage affirme ne pas vous avoir vu sortir ni prendre l'ascenseur. Le portier de même. Il est possible que vous ayez réussi à tromper leur vigilance. Par contre, il ne vous serait pas possible, à vous qui êtes infirme, d'être descendu par la fenêtre. A moins...

— Mais tout cela est ridicule. Je ne suis sorti de ma chambre que ce midi pour aller manger !

— Ne discutez pas, monsieur Segal. Votre situation est très grave. D'une part « vous n'étiez pas dans votre chambre », d'autre part « personne ne vous a vu en sortir ». Ce mystère est une charge nouvelle qui pèse sur vous.

Il traverse la pièce, pose la main sur la poignée de la porte et, comme s'il me perçait à jour, me dit :

— Je peux vous faire établir un billet tout de suite pour n'importe quel pays.

— C'est inutile. J'ai déjà mon billet pour Paris. Il m'a été délivré par le Quai d'Orsay.

— Je ne veux pas le savoir. Ce n'est pas mon problème. Vous pouvez choisir n'importe quelle destination.

(Où croit-il que je vais aller ? Me prend-il pour un espion à la solde des Américains à cause de mon appartenance à l'O.M.S. ? Des Chinois, à cause de mes voyages ?)

Il se lève et me donne à nouveau comme consigne de ne pas bouger de ma chambre et de bien fermer ma porte.

Lundi 17 janvier

Je me suis levé de bonne heure car j'attends l'arrivée de mon « complice ». Je dois en effet aller à Beyrouth, à l'Hôtel-Dieu, pour donner un cours et voir aussi mon jeune paraplégique, Charles, à qui j'ai promis de rendre visite. Pour cela, il me faut enfreindre les conseils et les consignes que m'ont donnés le Dr Bulle et Jean Hoefliger de ne pas sortir de l'hôtel. Il me faut aussi tromper la vigilance de mes gardiens et de mes espions.

Mon complice, un jeune musulman, arrive au volant d'une Volkswagen blanche surmontée d'une immense croix rouge. Il a accepté de me faire passer du côté chrétien, à l'Hôtel-Dieu. Je suis heureux, malgré le risque de perdre ma peau, de tenir ma promesse envers Charles et mes petites élèves infirmières. Rien ne pourrait m'y faire renoncer.

A la cafétéria, bourrée de monde, élèves et médecins sont venus me saluer, comme chaque fois, avant le cours. Puis je fonce vers Charles qui m'attend impatiemment dans sa chambre. Il me sourit. En entrant, je remarque tout de suite que sur sa peau, d'ordinaire livide, des taches roses, comme un nouveau printemps, ont fait leur apparition. L'infirmière enlève les champs américains, découvrant ce qu'il reste de ses hanches et de ses fesses. Trois escarres de vingt centimètres de diamètre, dans lesquelles on peut plonger la main jusqu'au poignet, rougeoient de toute leur puanteur. Avec la pince à clamper[1] on peut faire le tour des trochanters. Le sacrum est entièrement à

---

1. Pince qui serre les pansements.

204

nu. Pourtant, depuis que Charles est sur le ventre, un bourgeonnement s'est produit autour des plaies infectes. Les antibiotiques, les massages à la glace, les variations de position et surtout l'immense confiance qu'il a en nous ont fait de Charles un autre homme. Lui qui se plaignait de tout est redevenu rieur, décidé à reprendre ses études. Il envisage même de sortir de cette situation dans les plus brefs délais. Je n'ose lui dire que ses plaies seront difficilement cicatrisables. Que les soins risquent de lui manquer à nouveau. Dans quelques heures ou quelques jours, où seront les soignants ? Par quelles ruses auront-ils été écartés de leur mission ?

— Quand reviendras-tu ? me demande Charles.

J'hésite ; pourtant j'ai envie de lui dire que je serai toujours là avec lui, avec tous ces enfants mutilés qui m'ont fait confiance et pour lesquels je vais peut-être mourir. Je lui dis un mot, puis un autre, des mots qui se contredisent et qui luttent en moi pour rester auprès de lui. Charles me sourit à nouveau. J'emporte son sourire comme un cadeau ; c'est mon plus beau cadeau, ma richesse d'homme seul, mon patrimoine de mort-vivant.

De retour à la Croix-Rouge, c'est l'affolement général. Les garçons d'étage chargés de me surveiller ont constaté ma disparition. La suspicion contre mes « coupables activités » en est renforcée. Je monte à ma chambre. Après avoir quitté Charles, je ne peux plus entendre leurs paroles dérisoires.

Le Dr Nicole Grasset vient me voir. Elle occupe le poste de coordinateur médical en chef. A l'opposé du Dr Bulle, elle est calme, détendue.

— Ne vous inquiétez pas trop, me dit-elle ; c'est le prix de notre engagement qu'il faut payer. Vous avez fait du très bon travail ici. Maintenant il vous faut rentrer. Nous vous protégerons.

Jean Hoefliger, bien pris dans un impeccable costume trois-pièces, me rend visite dans la soirée.

— J'ai ton billet, me dit-il (c'est la première fois qu'il me tutoie). Je te ferai escorter demain jusqu'à l'aéroport.

— Jean, dis-moi, pourquoi veulent-ils me tuer ? Qui sont ces gens ?

— Tu es accusé d'espionnage, comme nous tous ici. Ainsi est-ce plus facile de nous discréditer aux yeux de ceux que l'on soigne. C'est une pratique courante. Plusieurs de mes collaborateurs ont dû quitter le pays après de telles menaces. C'est notre métier, il faut savoir se plier à ces contingences. Nos chauffeurs eux-mêmes, quand ils ravitaillent les camps, risquent leur peau ; il faut en permanence les remplacer par d'autres. Quant à ceux qui t'ont accusé, je ne peux te dire qui ils sont. Mes sources d'information sont très sûres et je connais le nom de ton accusateur ; mais j'ai le devoir de mener moi aussi à bien ma mission et je ne puis le nommer. Maintenant, il te faut rentrer. Porte ton combat ailleurs. Ici, tu n'es plus qu'un homme en sursis et tu vaux plus que cela.

Rita est allée chercher mes affaires à Ain Arr, dans le village phalangiste. Je crains qu'à cause de moi on ne lui ait tendu un piège. L'attente de son retour m'est intolérable. J'aurais voulu dire tant de choses à Gilbert et à Leïla. Je voudrais tant prendre la main de Rita, rire avec

206

elle, mais je sais qu'à son retour je lirai dans ses yeux, immenses de chagrin, le dialogue interrompu.

Mardi 18 janvier

La voiture de la Croix-Rouge franchit un à un les barrages qui mènent à l'aéroport. Je m'attends à chaque seconde à un mitraillage ou à une explosion. Je regarde ce pays, si beau, qui se déroule. On dirait qu'il m'abandonne. Je le dévore de tous mes yeux pour le retenir, garder la vie en moi. Je me sens seul et perdu : un petit chariot dans le désert, qui roule vers la mort. Arrivé à l'aéroport, je me cache derrière un pilier. C'est peut-être là qu'ils m'attendent. Au détour d'un couloir ou dans la salle des pas perdus, ma vie va éclater au milieu des valises et des sacs déchirés, dans cette foule colorée, ou derrière ce pilier de marbre froid. J'attends...

IV
Une cité non interdite

Cest dans le tourbillon de cette année 1977 que parut mon premier livre, *L'Homme qui marchait dans sa tête*. Tout autour de moi les feux de la rampe s'allumèrent. Tous les personnages de la comédie humaine, comme à Guignol, défilèrent. Et puis, le spectacle terminé, la rampe s'éteignit. Je retrouvai une nouvelle fois le silence de ma chambre-placard.

Cette année-là me permit toutefois de sillonner la France, de retrouver les petites routes de Provence entre Cavaillon et Oppède-le-Vieux ; c'était comme si la chèvre de M. Seguin venait brouter dans ma mémoire. Puis je remontai vers Paris et m'arrêtai dans ma région, à Épernay, pour une séance de signatures de mon livre. J'y retrouvai tous ces gens qui s'étaient évanouis avec mon accident.

Dans la plus grande librairie de la ville il y avait une queue de trois cents personnes : les maîtres d'école, les instituteurs, d'anciennes petites amies devenues mamans, des copains de classe avec de l'embonpoint, des habitants de tous les quartiers : ceux de la Crayère, où jadis les nomades cohabitaient avec les pauvres, ceux de Magenta, près de la grosse scierie. De très vieilles dames défilèrent devant moi qui m'affirmaient toutes m'avoir « gardé quand j'étais enfant... même que vous et votre sœur Brigitte vous en faisiez de belles ! »

J'étais très impressionné par cette multitude de visages qui réapparaissaient, visages de l'enfance aux clameurs de récréation. Mon passé jaillissait soudain de cette terre crayeuse d'Épernay. Mon passé, surgi du temps, existait à nouveau. En mettant pour la centième fois ma signature sur mon propre livre, je sentais combien l'aventure de ce personnage hors des normes, hors du temps, que j'étais devenu, me faisait renaître aux yeux de ceux qui m'avaient vu disparaître en avril 1972. Après cinq années vécues dans l'ombre, une ombre souvent glaciale, on reconnaissait enfin en moi quelqu'un de vivant, de chaud.

Il arrivait pourtant qu'on me le reprochât. A Paris et ailleurs certains pensaient — ou faisaient semblant de croire — que, depuis que j'étais passé à la télé et que j'avais acquis une (relative) notoriété, j'avais changé d'allure, de comportement, d'idées. « Avant, j'étais un handicapé parmi d'autres, c'est-à-dire classé, parqué, oublié. Il m'aura fallu un véritable *one man show* autour du monde pour que les gens s'intéressent à moi, m'apprécient. Mais je suis toujours le même bonhomme ! » avais-je envie de crier. Ce que l'on disait de moi, la façon dont on me jugeait, tout cela me montrait la futilité et la fragilité des jugements. Par bonheur, au milieu de la mort, je m'étais construit une forteresse. Je l'avais construite avec mes cris, mon sang. En elle habitaient ceux qui m'avaient suivi dans la débâcle, dans ma nuit, ceux qui avaient cru en moi : un Bernard Stasi, un Michel Jaouen et bien d'autres.

Aujourd'hui que j'étais connu, des individus sans âme cherchaient parfois à s'introduire dans la forteresse, appâtés par un éventuel gâteau. Ils profitaient de moi, honteusement. Des gens de la « Société » m'invitaient à leur table. Je m'y rendais, pensant que nous aurions un tas de problèmes à débattre, à discuter. En fait, ces gens voulaient me faire jouer le fou du moyen âge ou le gentil bossu qui porte chance. Je n'étais là que pour les divertir entre chaque plat, en tant qu'entremets, interlude. Je me sentais trompé et j'en souffrais. Moi qui avais connu la douleur et la violence, j'étais pris de dégoût devant tant de médiocrité et d'hypocrisie.

Fort heureusement, la forteresse fut bientôt désertée ; les rats n'avaient rien trouvé à rogner ni à chaparder. A nouveau seul, je pus savourer l'amitié : celle des anciens amis, celle des nouveaux. Parmi ceux-ci, il y avait par exemple François Chalais. Lui qui avait été grand reporter, qui avait vécu en Asie et voyagé au Viêt-nam ravivait mes amours d'Orient, ma vie d'aventurier sans titre ni renom. Dans ses yeux je retrouvais ma ville oubliée, dans la voix de sa compagne Meï Chen les accents de là-bas. En trois coups de plume François fait le portrait d'un politicien, d'un acteur. En deux phrases un peu nasillardes il assomme les prétentieux, les médiocres et les pilleurs de manuscrits. Je l'écoutais et le regardais, fasciné. Moi, je n'ai pas un tel talent.

Au moment même où je réclamais à nouveau l'aventure, Michel Jaouen se trouva là. Il m'annonça qu'il était invité au « Congrès de l'enfance exceptionnelle » (nouveau nom donné à l'enfance inadaptée) et qu'il partait pour Montréal. Évidemment il m'emmenait avec lui ! Heureux comme un pèlerin rencontrant un frère sur sa route, je bouclai aussitôt mon sac ; un sac délavé comme une yourte[1], fané par tous les soleils du monde... Et nous prîmes l'avion. Michel n'emportait que le strict nécessaire : il avait fourré dans son caban bleu marine un rasoir et, pour le cas où l'avion aurait des difficultés et qu'il fallût mettre la main à la mécanique, une clef à molette.

Nous nous attendions à trouver l'hiver en débarquant, aussi fûmes-nous presque déçus du petit soleil d'automne qui éclairait douillettement la ville. L'hôtel Reine-Élisabeth où se tenait le Congrès nous hébergea. J'y retrouvai quelques amis, ceux qui m'avaient accueilli et aidé lors des Jeux olympiques. Les sœurs Sauvage étaient là, elles aussi, avec leur accent, ce goût de « bleuet[2] » qu'elles donnent à la langue française. Et le Congrès commença. Près de cinq mille participants. Une introduction magistrale.

---

1. Tente de feutre des nomades d'Asie centrale.
2. Le « bleuet » est, en français du Canada, la myrtille.

Une conférence sur l'homme, illustrée de diapositives géantes. Les images de tout ce qui fait notre univers visuel mêlées à des pensées de Teilhard de Chardin, aux courants de la pensée chinoise, juive, chrétienne, etc. Pendant deux heures nous volâmes de la préhistoire à la conquête de l'espace, des fleurs des champs aux barbelés des camps de concentration. Dans le tourbillon de ce kaléidoscope, l'homme et la femme s'entrecroisaient sous le nez de la mort. Michel et moi, assis au premier rang, étions subjugués par le présentateur et le poids des images. Par moments, notre cerveau semblait prendre des vitesses cosmiques, puis restait en suspens tel un morceau de cristal.

Nous fûmes invités dans quelques débats. Michel — suite à la parution du livre *Le Bel-Espoir*[1], retraçant l'aventure d'une croisière avec de jeunes drogués — était venu parler de son expérience. Quand tout de go il déclara ne pas avoir lu le bouquin, l'assistance éclata de rire. Les amarres étaient rompues, Michel pouvait enfourcher ses chevaux de prédilection : « Nous sommes tous plus ou moins des drogués... Cessez de parler de la drogue et elle disparaît... La marijuana en vente libre ?... Il n'y a pas de psychiatres heureux... » Les mots de Michel roulaient comme les vagues. On aurait dit que recommençait la croisière de l'Atlantique. Des mots qui filaient la bonne direction, le bon sens. Il ajouta, blaguant un peu : « Les deux choses les plus importantes sont l'étoile polaire et le top horaire. Avec ceux-là vous faites le point : latitude, longitude, vous n'êtes jamais perdus ! »

---

1. Père A. Maucorps, *Le Bel-Espoir*, éd. du Pen Duick.

Invité moi-même dans quelques débats, je devins, de fil en aiguille, l'interlocuteur étranger face aux autorités du Québec. Le problème à traiter était très ancien et grave : « Le handicapé est-il différent des autres et, s'il l'est, doit-on le recenser comme tel ? »

Le mot « handicapé » ayant déjà été remplacé par « exceptionnel », mes amis québécois avaient largement fait progresser le débat. Quant au droit à la différence, nul ne pouvait le nier. Pourtant, lorsque nous dûmes passer aux travaux pratiques de groupe et étudier le comportement de chacun devant cette différence, les attitudes se révélèrent moins nettes.

Lorsque je lis sur ma carte d'invalidité à 100 % : « Station debout pénible », j'ai tendance à sourire, mais il y a là une méconnaissance du problème qui est à l'origine de bien des erreurs. En regroupant sous une même étiquette les divers maux physiques, on s'interdit de les prendre en compte et la horde des a priori vient refermer la porte du ghetto.

Exceptionnel, différent, voilà que le vocabulaire faisait changer le cours de notre monde.

Une différence de l'être physique mais une égalité de l'individu social, telle est ma position. Mais, là où le fait se complique, c'est que l'égalité met l'individu « exceptionnel » au même rang que celui qualifié de normal (terme à employer du reste avec beaucoup de circonspection). Le marché de l'emploi doit donc s'ouvrir à ces personnes exceptionnelles. Ce qui n'est pas simple, compte tenu de l'élévation du nombre de demandeurs.

Faut-il, par ailleurs, parler de rentabilité entre les deux

catégories ? Et si la personne exceptionnelle n'est pas « rentable » — avec toute l'horreur que comporte ce mot —, le droit à l'existence peut-il lui être contesté ?

Que de questions tout à coup. La médecine qui croyait tout définir se trouvait bien embarrassée. De mon côté, voilà pourquoi je me battais.

En effet, l'année 1977 n'avait pas été seulement pour moi, comme le prétendaient les rats des villes, une année de scène et d'honneurs. Je profitai de ma faible notoriété pour soutenir auprès des instances gouvernementales mes idées sur la réinsertion. Lors d'une émission de télévision, après quelques coups assénés à droite et à gauche, j'annonçai que le musée du Louvre n'était ouvert qu'un jour par semaine aux handicapés. J'ajoutai que ceux-ci, pour le visiter, devaient venir en groupes. Pour quelle raison ? Parce qu'il faut aller chercher un gardien, que le gardien doit ensuite aller chercher la clef et ouvrir l'ascenseur, et que tout cela entraîne un travail supplémentaire. Je dis que c'était un scandale, que c'était l'un des rares musées du monde où cela existât. J'eus encore le temps d'annoncer dans cette même émission — à trois jours d'un match du Tournoi des cinq nations — que le Parc des Princes était interdit par arrêté préfectoral aux handicapés, les escaliers empêchant toute évacuation en cas de danger.

Quelques interventions de ce genre firent mouche. Peu à peu des prises de contact entre les pouvoirs publics et moi-même s'établirent. Le département d'architecture de la Ville de Paris me confia, avec l'aide de ses architectes, l'aménagement du Parc des Princes. Il fut prévu — il est prévu — pour 1980 un emplacement, dans un « virage »,

214

pouvant recevoir vingt-cinq fauteuils. Vingt-cinq fauteuils, cela semble peu, mais représente cent places assises.

Je me vis ensuite confier, toujours avec l'aide de plusieurs architectes et ingénieurs, la réorganisation des lieux publics de la capitale : aménagement des mairies ; construction d'une piscine accessible aux handicapés au lycée Henri IV ; aménagement du futur vélodrome d'Hiver ; problème des transports, etc. J'espère bien étendre ces projets aux villes de province.

Ces problèmes d'architecture me passionnent.

Cette passion remonte à fort loin, au temps de la nuit, à 1972, à l'accident, à l'hôpital de Genève... Mon premier souci, en 1972, fut d'y rédiger un cahier des charges et de dessiner les plans d'un centre de rééducation dans un milieu favorable aux rencontres. Une âme de bâtisseur pour un homme vagabond, cela paraît paradoxal. En fait, vivant sur les routes, fréquentant les lieux publics, aimant le rugby et la musique, je ne pouvais rester sans rien faire devant ces temples du plaisir protégés par leurs innombrables escaliers.

A Montréal, le Congrès de l'enfance exceptionnelle se terminait. Michel et moi allâmes traîner dans le complexe Desjardin ou place Sainte-Catherine. Comme des enfants nous guettions le ciel, mais la neige tardait à venir. Nous fûmes invités par des amis québécois et nous repartîmes. Michel alla attraper la marée et faire valser les quatre-vingt-dix-neuf pieds du *Rara Avis*. Quant à moi, la neige ne venant pas, je décidai d'aller la chercher.

*
* *

Je prends contact avec les responsables de la Société de la baie James qui s'occupe des plus importants chantiers hydroélectriques du Québec, puis je reboucle mon sac et je m'envole vers le Grand Nord : Chibougamo, La Grande, bases principales de la baie James sur la rivière Caniapiscau. Après une heure de vol, le temps vire au gris. Sous les ailes s'étale un tapis blanc informe, moucheté de lacs brillants. L'avion fait voltiger la neige, encore peu abondante en ce mois de novembre, et se pose.

Dans la petite salle d'attente de l'aéroport, je patiente. Une longue file d'hommes en parkas ornés de fourrure, mal rasés, le regard un peu vide, font comme moi. Après deux mois de travail abrutissant sur les barrages (quatre-vingts heures par semaine !), ils regagnent Montréal. A leurs visages, on peut composer la carte du monde. Vingt-huit pays sont rassemblés, vingt-huit communautés, plus de douze mille travailleurs qui mordent dans le froid du Grand Nord pour amasser quelques dollars de plus.

Mon guide arrive enfin. Nous nous promenons tous deux dans les chantiers, puis la nuit tombe brusquement après un très beau coucher de soleil sur la terre gelée. Nous allons de baraquement en baraquement. Dans l'un d'eux, on y a installé un cinéma. Celui-ci passe tous les soirs du « porno » ; aussi est-il plein à craquer. Dans la taverne, qui ferme de bonne heure, une forêt de pintes de bière, que l'on sale pour faire baisser la mousse, rassemble les solitudes. Je referme la porte du baraquement et vais me coucher. J'ai l'impression moi aussi de ne plus avoir de visage.

Le lendemain, nous visitons les chantiers. Des camions

de cent dix tonnes, véritables monstres aveugles, passent à toute vitesse. Il faut prendre garde de ne pas se mettre en travers. Nous pénétrons dans un gouffre : la chambre de réception des eaux, le cœur du barrage. On se croirait dans une cathédrale. Des milliers de fourmis casquées pataugent en rêvant de l'Eldorado dans une boue mêlée de ciment. Puis nous ressortons ; le froid me prend, l'hiver est pourtant encore timide. Demain, m'annonce mon guide, il fera − 40°. Chaque déplacement à l'extérieur devra être minutieusement préparé.

Devant les maisons, des chiens de traîneau dorment, rêvant de bourrasques de neige ; dans leurs yeux bleus passe un voile de tristesse. Cette tristesse est encore plus pesante dans l'un des immenses réfectoires. Là, on mange par grappes, ou seul, le nez dans la soupe, arrachant de gros morceaux de pain et buvant du lait qui laisse des voiles de mariée dans les plis de la bouche. Certains n'ont plus d'âge et ne rêvent plus, d'autres feuillettent en mangeant le catalogue d'achat que la Société de la baie James leur fournit. L'homme qui est près de moi fait ses comptes ; il semble avoir la quarantaine, il est édenté, mal rasé. En travaillant quatre-vingt-dix heures cette semaine, il pourra s'acheter les articles marqués d'une croix ! Cela me rappelle le Viêt-nam, quand les G.I.'s recevaient le catalogue des derniers modèles de General Motors ou de Ford. « Encore un combat, encore une distinction et je pourrai m'acheter la bagnole », disaient-ils. Ron, en poussant sur les roues de son fauteuil, se souvient-il de ce temps-là ?

Il n'y a pas que des *desperados* ici. Je retrouve un ami

photographe avec qui j'ai travaillé pendant les Jeux. Il a signé pour deux ans. Ensuite, avec l'argent, il espère s'acheter le bateau de ses rêves, voguer vers les îles de l'Espoir. J'ai tant rencontré de ces aventuriers au regard d'enfant, quelque part dans le noir de la société, que j'en arrive parfois à maudire ces îles indolentes et sucrées de pousser tant de gens dans le creuset infernal. Il n'est peut-être pas besoin de bateau, de radeau ni d'oiseaux pour aller s'asseoir sur le bord du lagon... !

Je visite l'hôpital de la baie James et rencontre l'infirmière en chef. Elle a déjà cinq barrages derrière elle. En quittant l'hôpital, elle m'offre une paire de mocassins faits par les Indiens, là-haut dans le Nord, dans une réserve bien gardée. Je glisse mes doigts à l'intérieur ; un instant je revois Charlot, dans *la Ruée vers l'or,* faire danser ses petits pains.

Avant mon départ, la famille Sauvage m'avait parlé de la princesse Obomsawin, une Indienne qui devait m'emmener dans sa tribu. Malheureusement le temps me presse, je ne la verrai pas. Je reste avec mes deux mocassins. Un jour, quand je reviendrai à Montréal, ils m'amèneront jusqu'à elle.

Je mets le cap à l'ouest sur Los Angeles, araignée de bitume, ville sans fin retenue à la terre par des bretelles d'autoroute. Je reviens là sans cesse pour me refaire des forces, remplir mon corps de substantifique moelle. Je n'ai que deux points de chute à Los Angeles : la petite maison de ma sœur Brigitte, une maison de bois adossée à la colline, ses deux pieds posés dans la mer ; et celle de Michaël Jacobs, mon ami Mike, mon professeur, mon partenaire, mon complice. Je n'ai pas encore retiré mes bottes fourrées ni mon blouson de gros cuir ; aussi, sous le regard des belles Californiennes, nues sous leur tee-shirt, ai-je l'air d'un chercheur d'or rentré bredouille.

Quelques marches de bois empêchent l'accès à la maison de Brigitte. Qu'importe ! De même que dans le village olympique j'avais réquisitionné des athlètes pour me porter, cette fois ce sont des « surfers » à qui je fais appel. Et je ne pèse pas lourd dans leurs formidables bras.

Entre nous le rite des retrouvailles est toujours le même. On parle à toute vitesse, mélangeant le sérieux et le comique, évoquant Paris, Montréal, Épernay, puis Brigitte prépare un énorme sandwich avec du thon, des tomates et des œufs. On mélange le miel dans le thé brûlant et, sous nos yeux, accoudés au balcon de bois raboté par le vent, le Pacifique nous appartient.

Je renoue avec un autre rite que j'avais abandonné quelque temps. Je me retrouve le pouce levé au bord de la *Pacific coast highway,* cette route qui longe toute la Californie et qui remonte en Oregon. Cette fois, elle ne me mène pas loin : chez les *Body Builders,* ces culturistes qui soulèvent des poids effarants dans le grand gymnase de Santa Monica.

De ma rencontre avec les *Body Builders,* je garde ces quelques images, ces monologues et ces invectives à fleur de peau :

— Moi, c'est Raymond Lafleur, et lui c'est Sauveur mon frère jumeau... Il est beau, regarde ce corps taillé

dans du granit, ces attaches fines comme celles d'un éta-
lon.

Raymond Lafleur a une tête de pirate, un anneau dans
l'oreille, une moustache tombante, un bras de fer bleu et
rose tatoué d'un corps de femme, des cœurs percés de
flèches, un aigle royal qui fait frémir ses ailes à chaque
mouvement. Robbie, un superbe Noir tout en boules,
en creux, en relief, a des chaînes autour du cou, des papil-
lotes dans sa toison nattée. Il vient de reposer la barre
chargée de fonte, cette barre qui vous fait des bras comme
des troncs d'arbre, noueux et forts.

— Allez, Sauveur, empogne-la, cette salope, fais gon-
fler tes beaux biceps... Vas-y, mon Sauveur, prends la
cadence, pompe-moi ça... Une, deux, trois, dix, onze...
tabernacle ! montre-nous qui est le patron !

Les veines de Sauveur se sont nouées en torrent, ses formidables biceps dégueulent de douleur. Sa figure n'est plus
que grimace. Il pose la barre en hurlant, puis danse
sur place comme si le feu lui dévorait le corps. La terrible
souffrance lui ronge le bas des reins, il trépigne, le beau
Sauveur, comme si la mort avait éjaculé dans sa tête.

Ensuite Raymond et Sauveur sont allés se faire les
cuisses et les mollets... Parce qu'il faut être joli pour la
prochaine compétition, face à Lou Ferrigno, le géant
sourd, timide comme un écolier, face à « Colombo », le
petit Sicilien émigré, et à Serge le Français, si gracieux
dans ses poses...

— Tu vois, mon gars, quand Sauveur va enrouler ses
biceps et ses « pec », les autres n'auront plus qu'à aller
faire du tricot. Deux fois par semaine on va au ballet pour

arrondir le geste. Tu vois, Arnold Schwarzenegger c'est comme ça qu'il a tout gagné ! Beau qu'il est, le Arnold ! et gentil tu peux pas savoir. Tu vois, moi, pour mes quarante ans, j'ai tout laissé tomber. J'ai laissé mon boulot de professeur agrégé à l'université de Montréal pour venir ici avec Sauveur. Ici, je me fais beau comme pour une épousée. Le samedi soir, après la séance, je m'allume un joint, pas la merde qu'on trouve dans le bas de la ville, mais de la colombienne, brune et forte, qui me fait danser la tête et le corps. Je deviens léger et beau et puis, sur la plage de Santa Monica, je m'en vais seul courir et nager, heureux comme les oiseaux qui passent là-haut dans le ciel de neige de l'île d'Orléans.

Les cheveux de Mike ont repris leur teinte habituelle. La dernière fois que je l'avais vu, il avait expérimenté, en bon nutritionniste qu'il est, un traitement à base de carotène et ses cheveux, un peu grisonnants, étaient devenus auburn.

A quarante-trois ans, Mike, qui est paraplégique depuis douze ans, tient une forme exceptionnelle. Mieux encore, je le trouve plus mince et plus musclé.

Nous chargeons nos deux fauteuils dans sa vieille Plymouth et nous voilà partis vers ce qui m'apparaît comme un nouvel objet de désir chez lui. Une heure plus tard, nous arrivons dans un quartier d'une autre agglomération, plein de maisons individuelles, de jardins et de calme.

Mike me fait pénétrer dans une de ces maisons où nous sommes accueillis par Terry, une jeune fille de quatorze ans, et son frère Bob. Le père, lui, fait de la mécanique dans le garage.

— Terry, va mettre ton maillot, dit Mike.

Il enfile son survêtement et se dirige en équilibre sur les roues arrière jusqu'au milieu de la pelouse. Il s'attache les jambes, passe une large ceinture de cuir derrière le dossier de son fauteuil et commence des exercices d'assouplissement.

Terry revient dans un maillot violet de gymnaste. Son corps est mince, souple, avec de longues jambes et deux petites pointes de seins. Mike la prend par la taille et l'élève au-dessus de lui avec aisance.

Elle s'incline de côté, plie une jambe, lance l'autre vers le ciel, fait l'oiseau puis, lentement, ils font un exercice de mains à mains. Soudain, Mike lance un ordre : après un saut périlleux arrière, Terry retombe aux pieds de Mike en grand écart. J'applaudis.

Au bout d'une heure d'exercice, au cours de laquelle j'ai pris quelques clichés, ils arrêtent. Mike est tout souriant.

— Si tu travailles comme ça, Terry, ce sera un vrai succès.

— Qu'allez-vous faire ?

— Nous passons à la télévision dans deux semaines. Il y aura, d'après les sondages, vingt-cinq millions de téléspectateurs. J'espère aller ensuite dans différentes villes des États-Unis pour présenter notre numéro.

Et il ajoute :

— Ce soir, je te montrerai mon costume de scène.

— Et qu'est-ce qu'en pense ta femme ?

— Elle n'est pas tellement contente. Elle n'aime pas ce côté *show exhibition*, ni l'idée que je puisse voyager pendant qu'elle resterait ici à travailler à l'hôpital de rééducation. Tiens, tu devrais m'accompagner. Tu serais mon *manager*. Moi, je n'ai jamais rien compris à l'organisation. Avec ton amour de la route, ça t'irait bien comme job.

En rentrant le soir, je repensai à Mike et à son costume pailleté. Il y a quelques années, alors que je m'ouvrais au monde, j'aurais peut-être accepté. Et, même s'il n'y avait pas eu vingt-cinq millions de téléspectateurs, j'aurais bien volontiers pris la route avec lui. Nous aurions joué *La Strada* dans les cours de supermarchés ou dans les fêtes patronales, et jusque sur les planches de l'opéra d'Amargosa, en plein cœur de la vallée de la Mort. Mike aurait aimé ce théâtre du bout du monde, à la jonction de la vallée écrasée par un soleil blanc habité de silence.

Deux personnages échappés d'un film de Fellini se sont arrêtés là un matin, fatigués de tourner dans les théâtres de second ordre, ridés au coin des yeux d'avoir trop joué pour un parterre vide.

Depuis dix ans, Marta Becket est la ballerine, l'étoile de l'opéra d'Amargosa, quelque part sur la route du canyon de la fournaise, entre Zabriski Point et l'éternité. Elle danse, peint les murs de fresques représentant des scènes de théâtre espagnol du XVIᵉ siècle. Pour qui danse-t-elle ? Pour un chat roux malicieux qui se chauffe l'hiver contre le poêle délabré ? Ou pour l'homme à la barbe de docteur Faust qui n'est que son ombre, son impresario, son maçon, son plombier, son esclave. A eux deux ils font tout, et pour celui qui s'est aventuré près du rideau de velours mité, le spectacle commence.

Ravel, Chopin, pas de deux, mimes... et le silence qui retombe dans les plis du désert où deux héros repeignent le monde.

Moi aussi, ce goût du spectacle, je l'avais eu il y a dix ans, en travaillant le soir chez Bouglione ; mais c'était dans une autre vie...

Avant de quitter Los Angeles, je retourne à l'hôpital des Vétérans pour m'informer des dernières techniques puis donner un cours aux étudiants de troisième année de kinési. Mike et moi nous nous partageons le travail comme de vrais collaborateurs.

Je passe ensuite à la « pharmacie » où je retrouve à chaque fois la même volontaire, souriante, qui me procure tout ce dont j'ai besoin. Le même matériel acheté en France coûte cinq fois plus cher et la Sécurité sociale ne rembourse qu'en se faisant titer l'oreille. Ainsi, mon fauteuil roulant, le quatrième, est américain, acheté à Los Angeles et fait sur mesure, comme pour les athlètes des Jeux olympiques. La Sécurité sociale ne veut même pas entendre parler d'un remboursement partiel : ce fauteuil « ne fait pas partie de la liste » des antiquités qu'elle fournit.

A l'hôpital de Fontainebleau, on m'avait procuré un fauteuil, dit « de sport », lourd comme un camion et dont les roues arrière étaient dépareillées — alors qu'un fauteuil devrait être aussi confortable et pratique qu'une paire de chaussures pour un champion. Voit-on un skieur, un coureur à pied ou un danseur acheter ses chaussures par correspondance ? De cela aussi j'en ai assez, de tout ce qui fait l'apanage de notre médecine de rééducation, du sacro-saint « à peu près ». Ce n'est pas de l'« à peu près » que nous voulons, c'est quelque chose qui soit conçu pour nous, adapté à notre taille, à notre mal ; moi, par exemple, je ne sais plus ce que peut être une escarre fessière depuis que j'utilise un coussin à eau très bien étudié et d'un prix fort raisonnable. Alors que j'en parlais à l'un des patrons de la rééducation en France, celui-ci me regarda d'un air étonné. Visiblement, il ne s'était jamais préoccupé de tels problèmes.

Ma volontaire aux cheveux gris m'a préparé mon habituel paquet.

— Où partez-vous cette fois ? me dit-elle.

— Je rentre sur Paris et puis...

— Je vous ai mis une grande quantité de préservatifs.

Il ne faut voir là aucune allusion grivoise : c'est pour l'incontinence urinaire qu'on utilise le préservatif, après l'avoir aisément transformé en y adjoignant un embout de caoutchouc.

Il pleut sur New York. Sur les pavés défoncés, le taxi-berline plonge et bondit comme en folie.

Avec ma sœur qui a décidé de m'accompagner, nous logeons dans un petit hôtel de la 42e rue. Un hôtel qui vit défiler bon nombre d'émigrants, d'écrivains ruinés et d'hommes d'affaires prêts à faire la culbute. L'étroite

225

fenêtre de la chambre donne sur une cour à la *West Side Story*. Tout là-haut, sur le toit des gratte-ciel noyés dans le brouillard, le monde se fait et se défait. Malgré le froid, la pluie et le vent de novembre, New York palpite, vibre, projette et recrache les hommes comme des météores. New York, c'est Naples et Hong Kong réunis.

Le lendemain, je vais au gré des rues, escaladant les trottoirs et les poubelles renversées. On dit de cette ville aux yeux voilés de béton qu'elle est inhumaine et dangereuse, que ses voyous sont des criminels et que la couleur de peau, ici, fait souvent la différence. On dit d'Harlem encore bien pire. Et pourtant...

Et pourtant je me suis promené un peu partout dans New York. Je suis entré seul dans une cour défoncée de Harlem ; des enfants sont venus jouer avec moi. Derrière Washington Square, dans le « Village », les *Hell's Angels* m'ont montré leurs repaires, leurs motos. Charlie le manchot, qui tel le capitaine Crochet manie si bien le couteau à cran d'arrêt, voulait tout savoir de la France et de mes voyages.

Je ne suis resté que quelques jours dans cette ville-minotaure, fascinante et vulnérable, puis j'ai repris l'avion pour Paris. Quelque part au-dessus de l'Atlantique, je me suis souvenu que je venais d'avoir trente ans. « Je suis dans cet avion perdu dans le ciel, et j'ai trente ans », me répétais-je. Depuis six ans que je n'ai plus les pieds sur terre, c'est dans un avion que je me sens le plus libre.

A l'arrivée, j'ai été le seul passager à être fouillé en

bonne et due forme. Le douanier, pensant mettre la main sur un gros trafic, jubilait en me demandant d'ouvrir le sac en papier marron venant de la « pharmacie » du *Veteran Hospital*. A la vue des cinq cents préservatifs, ses yeux se sont faits tout ronds.

— Qu'est-ce que vous faites avec ça ?...

Il aurait de quoi raconter à sa femme pendant les longues soirées d'ennui.

A Paris, devant la porte de mon appartement, j'ai trouvé une pile de courrier, quelques paquets, et un cadeau. Le plus beau cadeau pour mes trente ans. Des inconnus, jeunes et moins jeunes, m'avaient écrit un mot du cœur. « Nous avons lu dans votre livre que depuis cinq ans vous avez toujours passé votre anniversaire en tête à tête avec la solitude ! »

Et puis je suis allé m'enquérir des dernières nouvelles de « l'agence »...

Juste avant mon départ pour le Canada, nous avions, en effet, Delphine et moi, décidé d'ouvrir une petite agence, si petite qu'elle n'avait au début qu'un photographe, moi-même. Puis, avec le temps, d'autres s'étaient joints à moi, l'agence avait pris de l'ampleur. Des milliers d'images étaient venues grossir nos archives, constituant un immense spectacle du monde dont j'étais en quelque sorte le conservateur.

A chacun de mes retours, j'aime à me plonger dans cette ambiance, voir l'univers à travers le regard des autres photographes. Mais je ne puis me contenter d'être spectateur. Très vite, quelque chose d'important me manque. Quelque chose qui me fait vivre. Je veux être le témoin de la grande parade des hommes, l'acteur, l'avocat des causes souvent perdues, le vagabond de l'histoire. Voilà pourquoi, cette fois encore, j'ai rebouclé mon sac. Un soir de février, je n'ai pu résister à cet appel venu de si loin. J'ai annulé tous mes rendez-vous, j'ai enfilé mon blouson et je suis reparti. Israël, où grondent les tambours de la guerre, la Chine à la veille de son printemps, les Amériques... je voudrais aller partout où l'on pourrait avoir besoin de moi. Rien, me semble-t-il, ne saurait désormais apaiser ma soif.

V

Une nuit de sept ans

Saint-Malo le 6 novembre 1978

Pourquoi ai-je annulé ce voyage au Brésil que me proposait une chaîne de télévision canadienne ? Pourquoi ai-je accepté de parrainer un bateau de onze mètres engagé dans la première transatlantique française ?

Par amour de la mer sans doute... Pour répondre présent à l'appel des autres, de ces nouveaux humains si longtemps écartés de la vie, avec ses engagements, ses luttes et ses victoires.

Un bateau qui servirait de navire-école pour personnes handicapées, ou tout simplement différentes, voilà quel était mon rêve en mettant les pieds sur le sol d'Amérique après ma première transat.

Ce bateau, il serait là, dans quelques heures, prêt à affronter le gros dos de la vague. La course terminée, il

229

regagnerait son port d'attache et, comme un enfant du *Bel-Espoir*, il servirait à faire naviguer et rêver les enfants oubliés. Mon idée de donner un navire aux gens handicapés n'était pas nouvelle. Les jambes de bois des pirates de notre enfance sont là pour nous le rappeler.

J'ai accepté de devenir parrain d'une coque de métal pour donner à ceux qui n'y croient plus une voie de plus vers la liberté.

Ce pourrait être un bateau comme les autres s'il n'avait un secret.

Il y a sept ans, un jour de Toussaint, j'étais parti respirer l'air du large pour chasser de gros nuages qui flottaient dans ma tête.

A Marseille, j'avais embarqué sur l'*Ambrima* avec quelques coéquipiers pour longer les côtes de la Méditerranée. Je découvrais la mer, ses délices comme ses caprices ; je laissais aller mon corps dans la lutte avec le vent et dans mes reins un feu me dévorait. Sur l'*Ambrima,* les heures s'appelaient quarts, et nous nous laissions aller à parler de la vie que nous ne connaissions pas.

Cette semaine de mer allait changer le cours de mon destin. Une jeune fille était à bord, que j'entourai de tendresse maladroite. C'est elle que je revis le 6 avril 1972 et, ce jour-là, le coup de feu partit, enfonçant son coin de métal pour mieux laisser pénétrer la mort, et la jeune fille qui rêvait d'espace et d'oiseaux mit sur le ciel de ma vie un voile noir taché de rouge sang.

Dans quelques heures, ce 6 novembre 1978, je serai sur le quai du port de Saint-Malo pour parrainer ce bateau, nef des gens de tous bords, normaux ou exceptionnels.

Ce bateau n'est rien d'autre que le descendant de l'*Ambrima*.

Le cœur me serre en montant sur le ponton de bois, noir de monde. Chacun s'affaire, entasse les caisses de vivres, les bouteilles d'eau minérale, les vêtements qui sentiront bientôt le moisi.

Mais, en ce jour de Toussaint, le cœur de l'homme qui marchait dans sa tête est près de s'éclater pour ce rendez-vous-là, que j'attends depuis bientôt sept ans.

Je le reconnais, cet enfant de l'*Ambrima*, avec sa coque d'aluminium brut et son allure un peu rugueuse, et, comme pour lui donner la main et fermer le grand cercle de la vie, elle est là la jeune fille qui me projeta dans les étoiles, cul par-dessus tête, bras en avant, moi l'homme météoré.

Il y eut une gerbe de mousse quand la bouteille percuta la coque et, entre deux notes de cornemuse, je disparus à sa rencontre.

Parler était encore impossible après tant d'années et, quand nos mains se touchèrent au bout de la digue balayée par le vent, les cris des mouettes un instant se turent.

Une nuit de sept ans avait taillé quelques rides au coin de nos yeux et, comme deux enfants oubliés, nous avons marché. Nous traversions des docks sous la lumière blafarde de vieux lampadaires. Étrange vision de ce couple à la recherche de son identité. Dans le dernier dock du port de Saint-Malo, près d'un tas de charbon, nous nous sommes arrêtés, ruisselants de sueur et de brouillard, face à l'énorme silhouette du bateau de Michel.

Le *Rara Avis* seul, sur son mouillage, nous servit de témoin et, sur ce quai des brumes, je me libérai enfin de cette ancre invisible qui, par-delà les océans, griffait encore mon cœur prisonnier.

TABLE DES MATIÈRES

Achevé d'imprimer
sur les presses de l'Imprimerie Hemmerlé, Petit et Cie
en Avril 1979.